Françoise Fressoz

Le stage est fini

Albin Michel

À vous qui êtes partis

Introduction

Rien, absolument rien ne laissait présager l'événement qui allait entraîner la mue, le basculement, la transfiguration. Lundi 5 janvier 2015, toujours très bas dans les sondages mais en pleine opération reconquête, le président, très en verve, fait encore du Hollande. Il badine, plaisante, livre son secret à un auditeur de France Inter : « *Ne pas être complexé, c'est un grand principe. Quand on commence à douter de soi-même, on ne peut pas gagner.* » Le lendemain, la France perd son rang de cinquième puissance économique mondiale au profit de la perfide Albion. Encore perdu ! Et puis le surlendemain, la tragédie arrive. L'équipe de *Charlie Hebdo* est décimée par une attaque d'une barbarie inouïe. Suivent, dans la foulée, deux jours de folie meurtrière. Le nez collé aux écrans, les Français assistent horrifiés au road movie terroriste de trois jeunes compatriotes devenus djihadistes qui se solde par 17 morts et 4 blessés. Au milieu de l'horreur, François Hollande a les mots justes, les gestes qu'il faut. Au moment où le pays des Lumières bascule dans l'horreur, le socialiste se trouve enfin. Il est devenu président.

C'est la fin du stage. Un très long stage. Pas de six mois comme ceux que l'on accorde aux étudiants qui piaffent à l'entrée du marché du travail, un stage de cinq fois six mois. Deux ans et demi ! Un demi-quinquennat. Les institutions sont solides, merci, mon général ! Et les Français très patients. Mais lui pardonneront-ils à l'heure du bilan l'amateurisme du début, l'absence de vision, la faiblesse des équipes, le doute, parfois même le mépris qui se lisaient dans le regard de ceux qu'il avait nommés ?

« La mort habite la fonction présidentielle », déclare au magazine *Society* quelques semaines après la tuerie l'homme sur qui tout ne glisse plus comme autrefois. Le tragique l'a rattrapé. Amorce de gravité. Début de verticalité. Autour de lui, les ministres se tiennent enfin. Ils ont arrêté de gigoter, de contester, de parler à tort et à travers. Graves eux aussi. Il était temps que la comédie cesse, qu'un coup de règle vienne taper les doigts de cette bande d'adolescents attardés qui n'avaient visiblement pas fini de régler les comptes. Bonjour la gauche !

Reprenons l'histoire. En 2012, lassés par quatre ans de crise économique et cinq années de crispations sarkozystes, les Français croient avoir introduit le bon Samaritain à l'Élysée. Le redressement juste. Pas de violence, mais un peu de récupération sur le dos des riches et surtout la sauvegarde d'un modèle qui se veut unique : l'étatisme français qui par ailleurs n'a plus les moyens de sa splendeur passée. Hollande arrive tranquille avec sa collection de pactes, sauf qu'il n'y a rien dedans. Funeste méprise !

Un apprenti sympathique vient de prendre les rênes du pays mais sa « boîte à outils » apparaît déjà bien rouillée et sa bande de copains n'est pas très fiable. D'où le côté tragicomique de ce début de règne sans répit ni sursaut, rien de tangible à quoi se raccrocher, juste une accumulation de bourdes, de faux pas, de mauvaises décisions qui s'enchaînent les unes aux autres. Si le pays n'allait pas aussi mal, ce serait franchement risible. Du bizutage à haute dose. À peine le noyé a-t-il quelques minutes pour reprendre souffle qu'une nouvelle vague s'abat. Il ne se plaint jamais, il encaisse. Sa résistance est à toute épreuve mais les nerfs du pays sont à vif.

À sa décharge, ce n'est pas François Hollande qui a inventé les déficits, le chômage de masse, la désindustrialisation, l'accumulation de dépenses et d'impôts qui crée la thrombose du système, mais il aurait quand même pu éviter d'en rajouter. À son corps défendant, il ne s'est jamais rêvé en sauveur du pays, juste en accompagnateur, mais de là à installer la zizanie au cœur du gouvernement, à la tolérer, à se laisser contourner, déborder, mépriser en refusant obstinément de siffler la fin de la récréation jusqu'à ce que le pays furieux la lui impose, il y a un monde. Le tout est difficilement pardonnable.

Lui, cependant, plaide, argumente, accepte de répondre au procès dans un méritoire exercice de transparence. « *On est toujours victime d'une illusion* », s'agace François Hollande, rencontré en juillet 2015 à l'Élysée. Le président de la République récuse les critiques portant sur son indécision : « *je ne suis pas dans le compromis, j'ai pris des décisions extrêmement difficiles dès l'été 2012* », argue-t-il. Il se décrit comme un réformateur courageux *« qui a engagé des réformes qui ne sont pas toutes de gauche mais servent l'intérêt général »*. Il défend obstinément sa méthode : l'apaisement, le refus de la dramatisation, à rebours de la posture churchillienne que beaucoup, y compris dans son camp, auraient voulu le voir endosser au lendemain de son élection. *« On est le pays où on parle le plus de réforme et on en fait le moins. Le sang, la sueur et les larmes, ça ne marche pas. Les Français sont imperméables à ce discours parce que depuis Raymond Barre en 1976, on le leur a servi en permanence. Les gens disent : "On a déjà donné, on n'a plus de sang, on n'a plus de sueur, on n'a plus de larmes, donc ça n'opère plus." »*

« Vous ne pouvez quand même pas mettre sur ses seules épaules tous les problèmes de la gauche ! » s'exclame Jean-Louis Beffa, le président d'honneur de Saint-Gobain qui, au bout de trois ans, lui trouverait presque des excuses. Le fait est que François Hollande garde des aficionados partout : à gauche, à droite, dans les syndicats et même chez les patrons. L'élu a pour lui d'être *« aimable, à l'écoute, dénué de cynisme, soucieux de bien faire sans mettre le pays à feu à et sang »*, affirment ses thuriféraires. Difficile de ne pas lire en creux le portrait honni de Nicolas Sarkozy. Mais la bienveillance ne suffit pas ! Sur cet homme si affable, des choses affreuses sont dites aussi, venues de tous les rangs sociaux, de toutes les professions, de tous les bords politiques. Et notamment ceci : qu'il *« est un petit arrangeur »*, un bricoleur. Comme on le disait de Louis XVI lorsque le roi forgeait des serrures et des clés dans l'atelier qu'il s'était fait aménager à Versailles, au-dessus de sa bibliothèque, pendant que le royaume sombrait.

François Hollande n'a jamais forgé de serrures. Mais il n'a nullement mis à profit ses longues années d'opposition pour façonner le socialisme du XXIᵉ siècle. C'est le grand reproche qu'on peut lui faire. Onze ans à fabriquer des synthèses molles lorsqu'il était à la tête du PS ! À un moment donné, cela se paie. Cependant, il a toujours été lucide. Sur lui et sur ses camarades. Après avoir tenu le couvercle de la marmite qui, par trois fois – en 2002, en 2005, en 2007 –, avait bien failli exploser, il s'en est éloigné pour ne pas y mourir étouffé. Et parmi ses principaux griefs, « *l'indiscipline* » de ses camarades. Il ne croyait pas si bien dire.

La génération qu'il porte au pouvoir, celle des Montebourg, Valls, Hamon, Filippetti est du genre trépidant. Elle a un vieux compte à régler avec lui et cette synthèse molle qu'il a trop longtemps portée comme pour mieux leur boucher l'horizon. À part Manuel Valls qui a connu Matignon sous Michel Rocard puis Lionel Jospin, elle ignore tout des codes du pouvoir. Sa culture est de type contestataire. C'est la raison pour laquelle l'agitation commence très tôt, exacerbée par la fracture européenne qui, depuis l'échec traumatique de Lionel Jospin en 2002, déchire la gauche. Quand Arnaud Montebourg part en guerre contre Angela Merkel, c'est l'électorat populaire qu'il tente désespérément de retenir alors que les sirènes cocardières et antieuropéennes du Front national l'attirent depuis déjà douze ans. Et lorsque Manuel Valls s'impose comme le flic qui va remettre un peu d'ordre dans l'équipe, c'est l'épreuve du réel que ce moderne tente d'imposer aux camarades. La gauche n'en aura jamais fini avec ses vieilles tensions.

Le PS et ce qu'il lui reste d'alliés étaient très mal armés pour affronter l'une des pires crises que le pays ait eu à subir. Ils voulaient le pouvoir sans accepter de s'y préparer, viscéralement hostiles à la mondialisation, crispés sur la pérennisation d'un État-providence à bout de souffle, et le pire, c'est qu'ils le reconnaissent : « *Le Parti socialiste n'a pas assez travaillé sur le fond, il a trop vécu sur ses acquis locaux* », assène l'ancien premier ministre Jean-Marc Ayrault. « *Le logiciel est dépassé* », analyse l'actuel premier secrétaire, Jean-Christophe Cambadélis. « *Depuis 2005 on met la poussière sous le tapis, on esquive la question centrale : l'Europe est devenue un problème au lieu d'être une solution* », renchérit Pierre Moscovici. « *Le résultat, c'est que le rapport à nous-mêmes est exécrable, un pessimisme noir, une autoflagellation alors que notre situation reste, même si elle est médiocre, enviable au regard de bien d'autres partenaires* », ajoute l'ancien ministre de l'économie devenu commissaire européen.

Beaucoup, parmi ceux qui gouvernent aujourd'hui, évoquent avec nostalgie la période 1997-2002 – les cinq années de gouvernement Jospin – au cours de laquelle la gauche rose, rouge, verte, tout en assumant sa diversité, avait su faire sa synthèse derrière un chef qui n'était pas autoritaire mais savait exercer l'autorité. Hollande ou l'anti-Jospin. Le procès est facile, mais injuste. En réalité, la gauche sous Jospin ne se tenait que parce qu'elle était en cohabitation. Déjà, elle manifestait d'inquiétants signes d'épuisement. L'électorat populaire l'avait lâchée au point de provoquer le séisme du 21 avril 2002. Et sur la scène européenne se jouaient deux événements majeurs qui allaient marquer toute la période actuelle : alors même que onze États sur quinze étaient dirigés par des socialistes, le rêve de l'intégration, vendu avec ferveur aux électeurs de gauche, s'échouait sur le processus exactement inverse de l'élargissement.

Simultanément, la gauche européenne soldait une querelle idéologique qui allait laisser la France loin derrière : le social-libéralisme attaquait le vieux socialisme. Blair et Schröder unissaient leurs forces pour renvoyer aux oubliettes Jospin, ses 35 heures et ses emplois jeunes. Dans un manifeste commun, le Britannique et l'Allemand pointaient l'épuisement de l'État-providence, appelaient à s'armer dans la mondialisation en encourageant la production, en baissant les charges et les impôts. Et pendant que la gauche française résistait de toutes ses forces, persuadée d'être dans le vrai, l'Allemand passait à l'acte. C'est de cette époque que date le grand écart franco-allemand.

Après cela, François Hollande pouvait toujours ramer. Hormis son indéfectible optimisme, il ne disposait pas de beaucoup d'armes pour remonter la pente.

I.

Des amateurs

Il fallait un culot d'acier pour se lancer dans la course, aux premiers jours de l'été de 2009. C'était à Lorient, une réunion publique au palais des congrès. François Hollande déboule avec un costume neuf et une nouvelle paire de lunettes à monture transparente. Quelques semaines plus tôt, Stéphane Le Foll, son directeur de cabinet du temps de la rue de Solferino, le siège historique du PS, l'a secoué : « *Si tu veux te présenter, rends-toi présentable.* » Lui seul peut se permettre d'être aussi direct. Le carré des fidèles est là : Frédérique Espagnac, son ancienne conseillère en communication, Michel Sapin, son copain de l'ENA qui a fait sept heures de route depuis Châteauroux pour arriver dans le Morbihan à 3 heures du matin. Pour rien au monde, il n'aurait raté cela ! Dès le service militaire, il a fait allégeance à François, son camarade de chambrée. C'est lui qui rangeait son barda. Il l'aimait déjà tant.

Bruno Le Roux qui occupait le poste stratégique de secrétaire national aux élections a lui aussi répondu présent. Et André Vallini, le président du conseil général de l'Isère qui rêve de devenir garde des sceaux. Les Bretons sont en force : Bernard Poignant, l'édile de Quimper, et surtout Jean-Yves Le Drian, le président de la région Bretagne, l'ancien maire de Lorient, l'ami de plus de trente ans, dont le nom suffit à faire resurgir le passé : c'est lui qui, en 1985, dans cette même ville, avait accueilli au côté de Hollande Jacques Delors, venu donner sa caution aux « transcourants », ces jeunes ambitieux du PS qui ne se reconnaissaient dans aucun des courants.

Vingt-quatre ans se sont écoulés. Ils sont devenus grands. C'est leur tour. L'aventure commence, joyeuse, dans une improvisation totale. L'argent manque, Faouzi Lamdaoui, l'ancien secrétaire national chargé de l'égalité et de la lutte contre les discriminations, fait le taxi et joue les majordomes. Lui non plus ne raterait pour rien au monde ce moment. Le leadership qu'exerce sur eux François Hollande est d'une forme spéciale : un mélange de jovialité, d'intelligence et de séduction. Du compagnonnage plutôt que de la verticalité. On aime le servir et voilà.

La vérité ? À part eux, personne n'y croit. Un an plus tôt, François Hollande a tout perdu, la direction du Parti socialiste après onze ans d'un règne qui ne l'a mené nulle part, et Ségolène Royal, sa compagne de près de trente ans, qui l'a fichu dehors pour qu'il aille *« vivre son histoire sentimentale de son côté, désormais étalée dans les livres et les journaux »*, ainsi qu'elle l'a annoncé dans un communiqué à l'AFP au lendemain de la présidentielle qu'elle venait de perdre.

18

Des amateurs

En guise d'épitaphe, un article[1] signé Claude Asko-lovitch et publié fin août 2008, à l'occasion de la dernière université d'été socialiste qu'il préside à La Rochelle : « *Il était intelligent, drôle, souple, plastique, il les rendait fous. Un jour, ça s'est arrêté, le PS n'a plus été amusant, mais un grand corps malade, au-delà de la crise de nerfs, et c'était sa faute, ils le disaient tous. Hollande la légèreté ; les faux compromis ; les habiletés ; les évitements ; l'embrouille érigée en système de gouvernement ; l'exacerbation des ambitions, jouer des uns, des autres, pour faire sa pelote.* » Dans le regard de Martine Aubry qui s'apprête à lui succéder, il voit de la haine, dans celui d'Arnaud Montebourg, du mépris. Mais le pire, c'est l'indifférence des autres, la tristesse de ses amis, l'éloignement d'un intime Jean-Pierre Jouyet, son vieil ami de l'ENA, qui n'a pas résisté aux sirènes sarkozystes. « *Une telle solitude, un tel dépouillement, c'était incroyable, ça pouvait mal tourner, à un moment j'ai vraiment craint pour lui* », témoigne un des fidèles de l'époque.

Mais non. Dans la famille Hollande, l'enfant roi c'est lui, François le puîné, brillant, jovial, serviable, drôle, adulé par sa mère. Il y a toujours cru.

Les débuts sont ridicules. Lorsque la campagne des primaires commence, en 2011, on l'appelle « *Monsieur 3 %* », 3 %, c'est son score dans les sondages. De quoi le faire rire, lui qui aime tant blaguer ; mais il ne rit plus. Il serre les dents, s'autoconvainc : « *Je suis le meilleur* », et vend, la mine concentrée, son triple pacte « *productif, budgétaire, éducatif* ». Pour l'empor-

---

1. *Le Journal du Dimanche*, 31/08/2008.

ter, il s'est fait sacrément violence, a chassé les kilos superflus, a arrêté le chocolat, a dompté cette légèreté donnée aux plus doués d'entreprendre mille choses à la fois et de tout boucler au dernier moment.

Cette fois, il est concentré, exigeant, irascible. Ses intimes qui l'ont connu rieur le découvrent colérique. *« Il se défoulait sur quelques amis »*, témoigne en connaissance de cause Michel Sapin. Jean-Marc Ayrault, qui a observé de près le candidat avant de le rallier, note qu'*« il s'est discipliné : il travaille sur le fond, il est devenu plus méthodique »*. Pierre Moscovici, son directeur de campagne, évoque *« une campagne magnifique, contrôlée de bout en bout par un candidat qui ne laisse rien passer »*.

Octobre 2011. Il les a tous coulés : Aubry, Montebourg, Valls, Royal. Jamais plus fort que quand il a touché le fond, méritant pleinement le surnom de « Culbuto » que lui ont donné Marie-Ève Malouines et Carl Meeus, ses premiers biographes. Dans sa vie professionnelle deux femmes ont pour lui les yeux de Chimène : Nicole, sa mère, qui l'appelle tous les jours jusqu'à ce que la maladie l'emporte, et Valérie Trierweiler, la journaliste de *Paris Match* qu'il fréquente depuis avril 2005 et avec qui il a fini par refaire sa vie. Dans *Merci pour ce moment*, le brûlot qu'elle publiera plus tard pour le détruire, les pages consacrées à cette période sonnent juste. Ils sont amoureux, ils sont heureux et l'un comme l'autre terriblement ambitieux. *« Soit tu penses que tu es le meilleur et tu y vas, soit non et tu laisses la place à quelqu'un d'autre »*, lui dit-elle un jour de novembre 2010. Et lui, bien sûr : *« Je suis le meilleur. »*

Sa ruse : il a tout joué en contre. *« Après la trans-gression de 2007, les Français aspirent à la réconciliation et à l'apaisement »*, affirme-t-il. Et comme personne ne peut prétendre être plus normal et plus apaisant que lui, il n'a pas de doute, il va l'emporter. Un jour, on lui parle longuement de Dominique Strauss-Kahn puis de Nicolas Sarkozy pour voir, guetter le battement de cils qui, sous le dialogue jovial, dira son inquiétude. Calme plat.

Ces deux-là peuvent bien épater la galerie, ils ne l'inquiètent pas : trop sûrs d'eux, trop jet-set, trop transgressifs, trop mondialisés, brûlés à leur propre démesure, tandis que lui, l'homme lisse et sans aspé-rité, colle au terroir et à la demande. Lorsque dans la nuit du 15 au 16 mai 2011, le patron du FMI est arrêté à l'aéroport international John-Fitzgerald-Kennedy de New York, accusé par une femme de chambre d'agression sexuelle, il en rajoute encore dans le côté passe-muraille : *« Humilité, normalité, séré-nité, simplicité dans le rapport aux Français : vie ordinaire, revenus réguliers, patrimoine acceptable, contacts faciles, plaisir d'être au milieu d'eux »*, rapporte l'ami Bernard Poignant. Et pour faire oublier Neuilly où il a passé une adolescence bien plus insouciante que le jeune Nicolas, il joue à fond la carte corrézienne.

La Corrèze l'a fait roi. Il a compris que dans cette mondialisation malheureuse, marquée par la crise des subprimes et déjà la tragédie grecque, cette *« finance folle »* qu'il dénoncera tout au long de la campagne, c'est au cœur de la France, dans le rugueux Massif central qui a fourni tant de présidents au pays, que la partie se joue, comme le prolongement d'une chaîne qui n'aurait jamais dû être rompue : Pompidou et le Cantal, Giscard et l'Auvergne, Mitterrand et la Nièvre, Chirac et la Corrèze, Hollande et la Corrèze, avec au milieu Nicolas Sarkozy comme une incongruité.

Trois jours par semaine, il y est, quelles que soient les saisons et les obligations. Une ascèse. *« Même de l'étranger, il accourt pour la Corrèze »*, se souvient Frédérique Espagnac. Il a 26 ans, de grosses lunettes, et des notes d'énarque qui débordent de son cartable lorsqu'il y met les pieds pour la première fois en 1981 pour affronter Chirac. L'épopée est calquée sur celle du Grand, quatorze ans plus tôt. Une joyeuse bande de copains part à l'assaut de l'imprenable. Dix-neuf ans plus tard, le culot paie. François Hollande a tout emporté : la députation, la mairie de Tulle, le conseil général et la complicité active du vieux chêne brisé. D'ennemis, ils sont devenus complices, deux rad-soc en symbiose avec le père Queuille, l'emblème du département qui rembarrait les trop pressés d'une formule lapidaire . *« Il n'est aucun problème si grave qu'une absence de décision ne puisse résoudre. »*

Le pari de l'immersion était risqué car il abolissait la question du leadership qui allait revenir comme un boomerang, une fois l'élection passée. Mais c'était une habile façon de traiter la dépression française que de dire aux Français qu'il était un parmi eux et qu'ensemble ils n'avaient pas à rougir de ce qu'ils sont. François Hollande tient le contrat, se montre tranquille mais pas naïf, internationaliste mais pas mondialisé, réaliste mais pas angoissant parce que la France est un grand pays et qu'en France tout finit par s'arranger. C'est ce qu'il explique le 22 janvier 2012 dans son discours du Bourget où, pour la première fois de sa vie, il déchire un peu le voile, accepte de parler de sa famille et de son parcours, avant de lancer sa formule : « *La France n'est pas le problème, elle est la solution.* »

Pour fendre l'armure, il a dû se faire violence. Un long et douloureux accouchement. Un jour, il est à Nantes, pour un débat organisé par *Le Nouvel Observateur* avec Stéphane Hessel. Jean-Marc Ayrault l'installe dans son grand bureau et joue le coach : « *Il faut que tu ressentes quelque chose, que tu aies une vision de la France.* » Le candidat sue sang et eau, des feuillets éparpillés partout autour de lui. Il biffe et rebiffe jusqu'au tout dernier moment dans la caravane où il s'est enfermé avant de monter sur l'immense scène du parc des expositions du Bourget. Le discours fait mouche. « *Il est là où il faut et dit ce qu'il est* », se félicite le politologue Stéphane Rozès qui le conseille.

Jouer le père tranquille n'était pas difficile. Toute sa vie, François Hollande s'est méfié du lyrisme, du tragique des grands mots, des grands hommes. Il a vu Jospin, imbattable sur le papier, se fracasser le 21 avril 2002. « *Mon pire souvenir* », confie-t-il. Cinq ans plus tard, c'est Ségolène, la mère de ses quatre enfants, qui flotte telle la Madone au-dessus des eaux avant de chuter violemment. Toutes ces observations l'ont vacciné.

Il est l'antihéros et plus encore l'homme qui ne craint pas de se laisser mépriser, ce qui n'est pas donné à tout le monde. Lorsque les hostilités commencent, Henri Guaino, le conseiller spécial de Nicolas Sarkozy, lance rageusement : « *Hollande ? C'est rien* », et c'est exactement la voix de son maître. Et pendant ce temps, le « rien » absorbe comme une éponge ceux qui ne supportent plus le président sortant. « S*ur les marchés, on n'avait pas besoin de bouger,* rapporte un membre de l'équipe Hollande, *les gens traversaient la rue pour nous dire : "Débarrassez-nous de lui."* » Et c'est tout le problème. Il n'en fallait pas plus.

Les ennuis commencent lorsqu'il faut proposer car sa besace est vide et son inexpérience flagrante face à l'une des plus graves crises économiques mondiales que la France ait connues. Là-dessus, il est lucide : « *La seule chose dont peut se prévaloir Nicolas Sarkozy, c'est l'expérience* », dit-il. Il réduit donc les promesses au minimum vital et commande à ses troupes un « *chemin de croissance* » sur cinq ans pour crédibiliser sa volonté d'annuler, en fin de mandat, les déficits publics sans faire souffrir quiconque à part les riches et la finance. L'ami « Michel » est tout désigné. Il est l'un des rares dans le staff à avoir été ministre et même ministre de l'économie dans le gouvernement Bérégovoy.

Sapin s'est donc mis au travail avec une petite équipe qui compte des pointures. On y trouve notamment Aquilino Morelle, le futur conseiller politique du président de la République, Christophe Chantepy, qui sera bientôt directeur de cabinet du premier ministre, et Emmanuel Macron, le jeune banquier de chez Rothschild dont le monde des affaires dit déjà le plus grand bien. C'est un proche de Michel Rocard et de la deuxième gauche, couvé par Jacques

Attali, l'ancien sherpa de François Mitterrand qui l'avait choisi comme rapporteur lorsqu'il présidait, en 2007, à la demande de Nicolas Sarkozy, une très baroque « commission pour la libération de la croissance française ».

Tout ce petit monde travaille d'arrache-pied, mais lorsque Michel Sapin livre en pleine campagne le texte au candidat, c'est la douche froide : la copie est recalée, les paragraphes sont rayés les uns après les autres. Trop longs, trop littéraires ! François Hollande a perdu son sourire débonnaire, il est furieux, il ne décolère pas contre son ami. C'est lui qui terminera de rédiger le projet sur un coin de table avec son directeur de campagne Pierre Moscovici.

Des amateurs ! « *On n'était pas prêts* », reconnaîtra bien plus tard Julien Dray, un autre intime du président. « *Les chiffres sont pipeau, tout repose sur le fait que la crise sera bientôt finie* », confie avec inquiétude le futur ministre de l'éducation nationale Vincent Peillon lorsqu'il croise son ami Pierre Larrouturou. Pour se mettre à jour, ils ont pourtant régulièrement travaillé avec des économistes amis, le « groupe de la Rotonde », du nom de la brasserie de Montparnasse où ces pointures ont pris l'habitude de se retrouver.

Il y a là notamment Philippe Aghion, professeur d'économie à Harvard, Élie Cohen, spécialiste des politiques industrielles, Gilbert Cette, professeur associé d'économie à l'université d'Aix-Marseille-II, et le delorien Jean Pisani-Ferry qui deviendra bientôt commissaire général à la stratégie et à la prospective. Aucun ne dissimule la gravité de la situation économique ni la spécificité du cas français : un déficit des finances publiques doublé d'un déficit de compétitivité qui obligent à agir sur deux fronts à la fois alors que la zone euro est en pleine tension. C'est extrêmement périlleux.

Pendant la campagne, deux rencontres élargies à d'autres économistes sont organisées dans les locaux de la Maison de l'Amérique latine, à quelques centaines de mètres du siège du Parti socialiste. À la sortie, une conférence de presse est organisée pour dire aux journalistes que tout est sous contrôle, mais en amont il y a le huis clos et ce qui s'y dit a de quoi glacer le candidat : le pays souffre d'une grave crise de l'offre, il faut absolument soutenir l'industrie, réduire d'urgence les charges sociales, c'est le chantier prioritaire. « *Aux rencontres de l'Amérique latine,* raconte Élie Cohen, *j'ai fait un tableau sur l'effondrement du système productif. Si on devait aligner le taux de marge français sur celui de l'Allemagne, il faudrait déplacer 100 milliards d'euros. François Hollande est sensible à l'argument, mais c'est un homme politique, l'économie vient après la politique.* »

D'autres économistes insistent, Gilbert Cette notamment, mais le candidat fait la sourde oreille. Cette « *politique de l'offre* » le gêne, elle ressemble trop à la TVA sociale préconisée par Nicolas Sarkozy. Elle a trop la couleur « *des cadeaux* » aux entreprises. Elle ne colle pas du tout à la musique de gauche qu'il faut amplifier au fil des mois pour étouffer le rival Mélenchon et qui clame qu'il faut taxer les riches et prendre la finance pour ennemie. « *François savait que le sujet des charges existait, mais il ne voulait pas l'aborder dans la campagne à cause de son optimisme sur la croissance et parce que Sarkozy s'était emparé du sujet »*, rapporte un futur ministre. Donc motus et bouche cousue sur ce qui deviendra le problème majeur du quinquennat – et personne ne proteste. Au contraire ! Sapin joue les bons soldats et impose le silence aux économistes : interdit de publier quoi que ce soit sur le sujet. L'impasse du quinquennat se joue à ce moment-là : ils savent qu'ils devront massivement aider les entreprises et clament qu'ils vont les taxer. Ils sont tous complices.

Ils s'égarent mais ils ne sont pas les seuls. À vrai dire, personne ne maîtrise grand-chose dans cette campagne. À l'Élysée, Nicolas Sarkozy vient d'encaisser la perte du triple A, qui signe la défiance grandissante des marchés à l'égard du pays qu'il préside depuis près de cinq ans. Le 6 mai, il est battu, François Hollande est élu. *« L'ambition d'une vie »*, lâchera quelques semaines plus tard le nouveau président installé sur son petit nuage.

II.

Si peu roi

Peuple en détresse cherche roi désespérément !
Et lui, facétieux, joue à cache-cache. Sur la photo
officielle, celle prise par Raymond Depardon, celle
qui orne toutes les mairies de France, François Hollande s'est fait immortaliser, bras ballants, dans les
jardins de l'Élysée, aux portes de l'hôtel particulier
qui n'apparaît qu'en toile de fond. Il a beau être le
roi, symboliquement, il n'a pas pris possession du
château.

Un mois passe et il ne s'est toujours pas installé.
Pour sa première grande allocution télévisée du
14 Juillet, les caméras le filment non pas à l'Élysée
mais à l'hôtel de la Marine, place de la Concorde,
là où fut signé le procès-verbal d'exécution de
Louis XVI. Il fallait le faire !

Un an plus tard, un film sort, intitulé *Le Pouvoir*.
Titre alléchant ! Patrick Rotman et Pierre Favier, ses
auteurs, ont reçu l'autorisation de filmer le président
de la République six mois en son palais. Les veinards !
Ils vont pénétrer dans le saint des saints, dévoiler
un peu du mystère. Eh bien non. On voit François

Hollande en réunion avec ses conseillers, en déplacement, en conseil de défense, en tête à tête avec son premier ministre, mais il ne se passe strictement rien. Sans doute parce que le contrat de départ était vicié : la caméra s'arrête de tourner au moment où ça devient intéressant. Seul reste le décor, à la fois écrasant et anachronique. À la place du roi, un grand vide.

Cela s'appelle un détrônement et cela vaut explication car ce trône, François Hollande en a rêvé, l'a voulu puis conquis avec *« une froide détermination »*, comme le précise son ami Julien Dray. Lorsque le novice en prend possession, il n'est ni dépressif ni écrasé par la fonction. Au contraire, *« un peu grisé par la victoire »*, et *« très sûr de lui »*, affirment ses amis. Hubert Védrine, l'ancien conseiller de François Mitterrand, qui le regarde composer ses équipes et son premier gouvernement, décrypte en connaisseur : *« Il a une énorme confiance en lui. C'est un joueur, un tacticien qui veut rester libre et ne pas se lier les mains. C'est pour cela qu'il n'a pas voulu d'un premier ministre trop fort, d'un Bercy trop fort, et à l'Élysée d'un secrétaire général trop fort. »*

Alors ? Les Français viennent de faire entrer un claustrophobe à l'Élysée, un président qui *« déteste se sentir enfermé dans un lieu, dans un système de pensée, dans un système tout court »*, comme le dit Emmanuel Macron devenu secrétaire général adjoint de l'Élysée et bientôt l'un de ses plus proches collaborateurs. Un homme amoureux de sa liberté et qui refuse en bloc toutes les contraintes du pouvoir : le décorum, la symbolique, les pesanteurs et surtout l'entrave.

C'est d'ailleurs pour cela qu'à peine élu François le trop libre a nommé à Matignon le « *loyal et dévoué* » Jean-Marc (Ayrault) qui « *n'a pas d'ambition pour la suite* » et ne lui causera pas d'inutiles tourments. Pour cette raison aussi qu'il a installé à Bercy, cette forteresse des finances réputée arrogante, un trio explosif qui ne manquera pas de se neutraliser à coups de bouderies et d'insurmontables contradictions : au 6ᵉ étage, le trop réservé Pierre Moscovici, au 3ᵉ, le tonitruant Arnaud Montebourg, entre les deux, au 5ᵉ, le très cynique Jérôme Cahuzac.

À côté du roi, pas l'ombre d'un mentor pour le guider. Le secrétaire général de l'Élysée, Pierre-René Lemas, est un vieil ami de la promotion Voltaire, réputé bienveillant mais pas politique pour deux sous et peu enclin aux fortes décisions. Il n'est en outre qu'un troisième choix. Sollicités avant lui, Moscovici et Sapin ont décliné. Ils voulaient tant être ministres ! Et Hollande, comme à son habitude, a composé.

Au début, le peuple est bienveillant, comme à chaque avènement, mais bientôt il s'interroge pour très vite s'inquiéter. Certes, il ne demande pas au roi de toucher les écrouelles, mais tout de même, François Hollande avait promis « *le changement c'est maintenant* » et rien de substantiel n'est venu : ni geste fort ni parole décidée pour gérer l'impatience et tracer une perspective.

« *Il a senti le danger, il se planque* », ironise Patrick Devedjian, le président UMP des Hauts-de-Seine, un féru d'histoire qui, depuis l'instauration du quinquennat, juge ces « *institutions folles* » parce que configurées comme celles de « *la monarchie absolue* ». Oyez donc : « *Un roi dont on attend tout, un premier ministre qui n'est plus qu'un collaborateur sans légitimité propre, le Parlement devenu la chambre d'enregistrement des promesses présidentielles.* » Un système « *très pervers,* ajoute Devedjian, *parce que dès que les députés sentent que le président de la République devient impopulaire, ils sont prêts à toutes les aventures, et dès que le peuple n'a plus confiance, il se débarrasse du roi* ».

Vision prémonitoire mais, pour l'heure, Devedjian se trompe. François Hollande ne se planque pas, il a entrepris de dynamiter le trône mais à sa manière, sans bruit ni fureur, sans rien revendiquer non plus, juste en banalisant autant qu'il le peut la fonction. La présidence normale n'était pas qu'un slogan de campagne. Elle rencontrait une conviction profonde.

Au tout début du quinquennat, un intime vient visiter l'antre présidentiel, surchargé de dorures. Lui se lève et lance, facétieux : « *Tiens, assieds-toi là dans le fauteuil, quel effet ça te fait ?* » Il n'a pas encore réalisé que ce fauteuil-là ne se partage pas, qu'on ne rit pas de tout, que le décorum est une mise à distance et une protection aussi. Il ne comprend pas qu'en torpillant la royauté il se torpille aussi. Trop homme et pas assez roi, comme Louis XVI qui, à force d'alléger le cérémonial, de multiplier les soupers réduits, de négliger le système de cour par lequel son grand-père régulait d'un battement de cils les vanités de la noblesse, avait scié les pieds de son trône.

Au fond de lui, il ne lui déplairait pas d'être un Louis XVI qui aurait réussi la transition démocratique, un Bourbon auquel le peuple n'aurait pas eu besoin de couper la tête parce qu'il l'aurait volontiers aidé à prendre sa part du pouvoir : « *Il avait théorisé qu'il fallait un nouvel équilibre, il voulait donner carte blanche au premier ministre et laisser s'exprimer le chef de la majorité parlementaire, il ne voulait pas faire comme Nicolas Sarkozy* », décrypte son ex-compagne Ségolène Royal.

Mais il ne s'agit pas seulement de cela. Comme l'ensemble de la gauche, Hollande a un problème avec la Ve République, son essence monarchique, ses risques de dérive bonapartiste. Six ans plus tôt, dans *Devoirs de vérité,* un livre d'entretiens avec le journaliste Edwy Plenel (Stock), il a donné sa vision : « *Je ne partage pas la conception d'un président qui ne s'appartiendrait plus, d'un chef de l'État qui serait investi d'une mission qui le dépasserait à un tel point qu'il échapperait à sa condition humaine...* », explique-t-il. Évoquant le trouble démocratique dans lequel s'enfonce le pays depuis les années 1990, il en trouve l'origine non pas « *en bas mais en haut* » dans « *l'illusion bonapartiste d'une présidence musclée* » et propose d'y remédier en donnant le pouvoir aux citoyens, consultés et associés en amont des lois, comme les partenaires sociaux. « *L'idée majeure : avant de décider, prendre en compte ; après avoir décidé, rendre compte* », explique le futur président dans un style un peu ampoulé.

Nous y voilà. Très vite, pourtant, Jean-Marc Ayrault se plaint d'être court-circuité par le portable du président qui devient un redoutable instrument de liaison par-dessus la tête du premier ministre. Les habitudes reviennent vite ! De son côté, François Hollande admet rapidement qu'il s'est trompé et a dû *« réviser »* le fonctionnement du couple exécutif : *« Dans les périodes calmes,* explique-t-il en octobre 2012, *le premier ministre peut prendre plus de place sans affaiblir la position présidentielle. Dans les périodes difficiles et sous le quinquennat, une demande se crée sur la personne du président. »*

Il comprend vite, mais à peine a-t-il rectifié le tir qu'il commet un nouveau contresens : au lieu de faire « président » enfin, le voilà qui ouvre sa *« boîte à outils »* pour réparer le pays et dégringole encore d'un cran dans l'estime populaire. C'était bien la peine de relire tous les discours de François Mitterrand, de visionner tous ses meetings jusqu'à en reprendre le verbe et plus encore l'intonation et la posture ! Lui au moins savait ce que c'est qu'être roi. Il se faisait appeler *« Président »* avant même d'être élu ! Mais après, il y avait eu la cour, le bon plaisir, les affaires. *« François Hollande voulait de la modernité, il cherchait son modèle du côté de Zapatero ou de Blair »,* explique un proche. Premier ministre plutôt que président, c'est tout son drame, mais Mitterrand l'avait prédit : *« Après moi, il n'y aura que des comptables ! »*

Trois mois après l'avènement du nouveau régime, les conseillers s'alarment : *« Verbe hollandais trop abondant, parole présidentielle trop faible. »* Jean-Marc Ayrault qui assiste, médusé, à la perte de l'autorité présidentielle le presse : *« Parle de ton bureau, sois solennel, dis aux Français où tu veux les emmener. »* Mais rien de significatif ne sort de la bouche présidentielle, comme s'il y avait blocage ou inconscience. En désespoir de cause, c'est son premier ministre qui, pour tenter de combler le vide, s'y colle et délivre aux Français sa vision du « modèle français » : une prudente invite à *« repenser le rôle des pouvoirs publics »*, à défendre *« une politique industrielle ambitieuse »* assortie d'une mise en garde contre *« la tentation du repli »*. Bonnes intentions et mots creux. François Hollande n'en prend pas ombrage. Il va jusqu'à féliciter son premier ministre de la liberté prise, devant tout le gouvernement, en lui remettant la médaille de l'ordre du Mérite au bout de six mois d'exercice ! C'est, il est vrai, la tradition...

Tout est anormal et il en rit, et aggrave encore son cas par une indécision qui défie toutes les lois du quinquennat. *« Les délais accumulent les affaires et les gâtent même, sans les terminer »*, avait coutume de s'alarmer Maurepas, le mentor de Louis XVI. Jean-Marc Ayrault pourrait en dire autant. Combien de fois le premier premier ministre du quinquennat a-t-il pressé François Hollande de trancher, combien de fois son directeur de cabinet a-t-il appelé le secrétaire général de l'Élysée pour savoir ce qui avait été décidé et s'entendre dire : *« Je n'ai pas le retour »* ?

À Malesherbes, son ministre de la justice, Louis XVI confie un jour : *« J'aime mieux laisser interpréter mes silences plutôt que mes paroles. »* C'est son côté neurasthénique, bourru, taiseux qui aggrave son cas. Au moins François Hollande ne souffre-t-il pas de ce travers. Lui a le verbe facile et la réunionite aiguë, à trois ou quatre conseillers, trois ou quatre ministres qu'il convoque jusqu'à point d'heure dans ses journées sans fin.

Travailler avec lui n'a rien de déplaisant, au contraire : *« Il ne prend jamais de haut, il écoute, il est facile* », témoigne Emmanuel Macron. Hollande a l'esprit vif, comprend tout, et reste d'égale humeur sauf lorsqu'il s'en veut. Les seuls moments où il perd son équanimité. Ils sont rares mais peuvent être terribles. Finie alors la présence débonnaire. Ses thuriféraires eux-mêmes ajoutent qu'il est un très mauvais manager : « *Il n'est pas méchant mais un peu ballot, un peu balourd, incapable de valoriser ceux qui lui veulent du bien* », s'épanche un ancien ministre un peu amer.

Les visiteurs du jour ou du soir qui ont naguère fréquenté Nicolas Sarkozy disent que la comparaison joue en sa faveur : François Hollande séduit son auditoire par sa qualité d'écoute et son humanité. « *Avec lui au moins, on ne se fait pas engueuler* », sourit un grand patron qui a eu à subir les coups de sang de Sarkozy. À la fin de la rencontre, le président « *résume toujours bien la conversation* », insistent encore ses interlocuteurs. Mais quant à décider, « *il éprouve de réelles difficultés* », témoignent nombre de ses conseillers. « *Quelle que soit l'analyse qu'il peut faire, il n'en sortira rien de tranché* », déplore ce même patron. Ce qui est somme toute la meilleure façon de se faire beaucoup d'ennemis.

Quand il était premier secrétaire du Parti socialiste, c'était plus facile : l'aimable Hollande disait « *oui* » à tout le monde ! Il y en avait de deux sortes : un « *oui* » franc et massif et un « *oui oui* » que Stéphane Le Foll, son bras droit, s'empressait de traduire en « *non* » auprès des intéressés. La peur de dire non est un grave handicap pour qui veut gouverner. Chez le président, l'inhibition est profonde, elle remonte à l'enfance et renvoie au père, Georges, personnage autoritaire et ombrageux, sympathisant OAS, admirateur de Pétain, « *une vision noire de la politique* » qui s'oppose à la sienne faite de « *confiance dans l'avenir* ».

Georges n'admet pas que ses fils lui tiennent tête. L'aîné Philippe récolte la pension. Le second, François, échappe à l'exil en « *arborant un sourire étincelant et malicieux à chaque occasion comme un bouclier* », écrit Serge Raffy, l'un de ses biographes. Une force mais une faiblesse aussi. François Hollande s'est construit une bulle qui le protège et l'isole jusqu'à ce que le réel finisse par se venger.

Un jour d'octobre 2012, alors que – déjà – le pays gronde, Stéphane Le Foll n'y tient plus. Président ou pas, il s'en va voir celui à qui il a toujours tout dit et lance : « *Ta relation avec les Français est abîmée. Il faut que tu retravailles vite la proximité et l'autorité. L'alchimie de la campagne n'est plus. Tu es en danger.* »

Lorsqu'il est acculé, François Hollande est spectaculaire à observer. « *Un galet lisse* », raconte François Rebsamen, aujourd'hui ministre du travail, de l'emploi et de la formation professionnelle, un lac totalement plat. Tout s'agite autour de lui et lui étire le temps autant qu'il peut pour ne pas risquer cette satanée rupture qui est son angoisse suprême. Stylo-feutre Tempo en main, il mène les consultations, prend des notes, accumule toutes sortes de propositions contradictoires sans rien dévoiler de sa pensée ni marquer le moindre signe d'affolement. « *Il prend le temps de faire le tour du verger et ne cueille le fruit que lorsqu'il le sent vraiment à point* », rapporte joliment Emmanuel Macron. Les semaines passent, rien ne vient, et c'est au moment où les intéressés désespèrent d'avoir été entendus qu'enfin il se met à bouger ! *« François Hollande est fondamentalement un médiateur. Il a besoin de son réseau de contraintes pour se mettre au milieu »*, observe le politologue Stéphane Rozès qui le conseille. C'est pourquoi lorsque la France entière s'affole de sa procrastination, lui reste zen puisque son mode de décision est ainsi fait. Mieux, il revendique d'être aux antipodes de la figure du sauveur que prétendait incarner Sarkozy. Car qu'a donc sauvé le président sortant, du haut de sa verticalité ?

Lui préside à l'horizontale, au ras des pâquerettes, compromis après compromis sans jamais rien expliquer, allergique aux idées et aux grands théorèmes. Sa présidence est un parcours de haies sans récit pour les relier les unes aux autres parce que tout ce qu'il a vendu pendant la campagne, la présidence bonasse fondée sur l'apaisement, *« le redressement partagé dans la durée »*, les *« forces vives »* en moteur du changement et lui au milieu, en forgeron du compromis, ne colle pas à la réalité du moment. C'est un rêve de président du conseil de la IVe République, une nostalgie des Trente Glorieuses lorsqu'il y avait encore suffisamment de grain à moudre pour les syndicats, si bien que pour se sortir de l'impasse la seule arme qu'il lui reste est le jeu tactique dans lequel il excelle et qui suppose de ne rien figer et de conserver jusqu'au bout une totale liberté d'action.

« C'est un joueur de foot, dès qu'il voit une ouverture il fonce », résume un conseiller. Le contraire d'un borné, mais par ailleurs sans aucune audace car prisonnier du terrain de jeu qu'il a contribué à façonner au

cours de ses longues années de premier secrétaire : il ne peut raisonner autrement que dans l'affrontement gauche-droite, en tenant compte des multiples souterrains au sein même de la gauche.

Dès le début du règne, Hollande a intériorisé l'étroitesse de sa victoire – 51,6 % des suffrages – qui l'a déçu et inquiété. *« Je suis le produit d'une majorité fragile,* dit-il, *la gauche est minoritaire dans le pays, elle pèse en tout 40 % dont 10 % à la gauche de la gauche et 30 % composés d'écologistes et de socialistes. Ce cœur de 30 % aurait dû être compact. Il ne l'a pas été. »* Il sent les craquements aux jointures, redoute des pertes, répare au lieu de forcer, anesthésie sous le pansement de l'apaisement. Surtout ne rien brusquer : *« Il laisse le bateau descendre la Seine en se disant "il arrivera bien quelque chose qui m'aidera" »,* constate Jean-Louis Beffa. Une vision du monde un peu effrayante en temps de crise, mais, à sa décharge, il a toujours su saisir la chance.

Un an après le début du quinquennat, des intellectuels échangent leur perplexité au sortir d'un déjeuner commun : *« Il comprend tout mais n'est pas là. »* Comme un défaut d'incarnation, une absence d'émotion. Hollande est le produit de son époque. Il a beau connaître intimement la France, l'aimer, la magnifier, il n'en parle jamais charnellement, à la manière d'un Mitterrand. Trop de pudeur, trop de technicité aussi, énarque jusqu'au bout des ongles, nourri aux rapports et aux notes de synthèse, boudant les romans, se raccrochant aux chiffres et aux courbes bien plus qu'aux grands élans du cœur. *« Pour lui, c'est l'économie qui fait la société »,* résume Stéphane Rozès. Encore faut-il savoir l'appréhender par le bon bout.

III.

Le tweet de Marie-Antoinette

Il a à son bras une grenade dégoupillée. Ils le savent tous mais comment faire ? *« Affaire privée »*. Pour l'heure, elle savoure la situation. La reine du jour, c'est elle. Valérie Trierweiler est une bombe au côté du président. Perchée sur de très hauts talons, brushing impeccable, elle a, à 47 ans, l'allure d'une reine de beauté, le port altier d'une Lauren Bacall. Sur les photos, c'est son regard à elle qu'on cherche d'abord. À la télévision, c'est elle qui crève l'écran.

Heureusement qu'elle est là, ce mardi 15 mai, pour la passation des pouvoirs. Sans elle, tout aurait paru fade, triste, rétrograde, un aréopage de corps constitués, une assemblée de notables, des têtes blanches, une ambiance beaucoup trop IIIe République dans ce XXIe siècle déjà bien entamé, rien de chaleureux, rien de familial, rien de dynastique. Pas de père, pas d'enfants, pas de famille recomposée, comme sous Nicolas Sarkozy. François Hollande ne l'a pas voulu. Seul, sans attaches, sans histoire, sans légende. Du coup, elle est l'attraction, la touche glamour, l'atout moderne de cet avènement, celle qui fera oublier la pluie qui douche littéralement le président stoïque, imperturbable dans sa Citroën décapotable qui remonte les Champs-Élysées.

Sur sa robe de crêpe noire, elle a jeté un manteau blanc qui aimante les regards. On la voit, sur le perron de l'Élysée, embrasser Carla Bruni comme si c'était une bonne amie, puis on la retrouve quelques instants plus tard dans l'impressionnante salle des fêtes du palais. Dans le sillage du président, elle serre les mains, sourire aux lèvres, un mot aimable pour chacun. On sursaute. Ce n'est pas son rôle de saluer ainsi les corps constitués mais est-ce sa faute à elle si, journaliste, elle les connaît tous ? Elle est à l'aise, elle semble heureuse. Eux aussi qui lui renvoient son sourire et semblent déjà lui faire la cour. Elle les fascine tous autant qu'ils sont, au point d'avoir déjà son chroniqueur non autorisé, le journaliste et écrivain Laurent Greilsamer qui, avec une prescience du drame, suit l'évolution au jour le jour de cette *« aimable Cendrillon républicaine »*, née angevine d'un père devenu invalide et d'une mère caissière, montée à Paris pour devenir journaliste et qui désormais plastronne au côté du roi. Il lui revient d'être la première à faire son entrée à l'Élysée sans être mariée et cela vaut tous les regards.

De cette situation inédite, elle tire parti comme elle peut. *« Première dame »* ? Ah non : *« C'est un terme qui n'est pas adapté à la fonction. Il faut trouver autre chose. »* Et de lancer une sorte de concours public du meilleur titre et, prise à son propre jeu, de sélectionner dans le drôle de courrier du cœur qu'elle a sollicité deux appellations qui la ravissent : *« L'atout cœur de*

France » ou « *première journaliste de France* ». On se pince pour ne pas rire mais, en réalité, elle rit jaune, elle se cherche, terrorisée à l'idée de perdre « *François* » et de ne pas trouver sa place.

Le problème ? Elle redoute d'« *être une potiche* » mais ne sait pas ce qu'elle veut, clame qu'elle sera journaliste mais obtient le même jour cinq personnes pour travailler avec elle dans l'aile Madame du palais. Le matin, elle jubile ; le soir, elle déprime. Un jour reine de France, le lendemain plumitive à *Paris Match*, ne voyant pas d'incompatibilité entre les deux fonctions, mais faisant déjà tout pour se faire détester de ses confrères ! Déjà elle peste contre ceux qui campent au pied de son domicile privé, et pas d'autre sujet de préoccupation qu'elle, égocentrée, totalement hermétique à cette histoire de France qu'elle est censée incarner, perdue, noyée, car au fond si peu reine.

Cette indifférence à l'histoire, c'est le côté pathétique de l'histoire. Que de souffrance derrière ! Lorsque, à la fin du printemps, son tweet part comme un boulet de canon, clamant à la face du pays qu'elle n'a jamais trouvé sa place entre le roi et son ex, la bien-nommée Royal, elle est devenue Marie-Antoinette, l'étrangère venue d'Autriche que les Français étaient d'abord tout disposés à aimer et qu'ils ont fini par détester.

Les progrès de la technique et les travers d'une époque ont toute leur place dans ce drame politico-conjugal qui fait exploser un couple aux marches du quinquennat, et sape dès l'aube l'autorité royale. Sous le règne de Hollande, on ne s'exprime pas en mots mais en signes, on ne se donne pas le temps de réfléchir, on tweete. À son arrivée à la cour de France, il avait fallu à la jeune Autrichienne neuf mots bien pesés et une mise en scène bien pensée pour solder le conflit qu'elle avait imprudemment ouvert avec la du Barry, la favorite de Louis XV. À son arrivée à l'Élysée, il suffit d'une seconde et d'un coup de pouce actionné dans une solitude rageuse pour que Valérie Trierweiler signe sa perte.

Ce tweet de 139 signes est une vraie folie, un suicide politique, l'œuvre d'une « tête à vents » terriblement malheureuse et prisonnière de ses pulsions. Il ose clamer, en pleine campagne législative, le soutien à Falorni, le rival socialiste que Ségolène Royal, en perdition, affronte à La Rochelle après avoir décroché le soutien de son ex-compagnon. La vengeance privée n'est rien à côté du désaveu infligé au roi. Impardonnable ! Mais Valérie Trierweiler n'a pas pris le temps de réfléchir. Elle a agi en compagne blessée, trompée, insécurisée par le couple Hollande-Royal qui n'en finit pas de faire de la politique derrière son dos.

L'effet du tweet est dévastateur parce qu'il installe le vaudeville à l'Élysée sans que l'on sache très bien qui porte la culotte. Lui gère l'affaire à sa façon, mollement, sans rien montrer de son affect, sans rien décider de définitif non plus, prisonnier de cette grenade dégoupillée qu'il a installée au cœur du pouvoir. Il est en train de recevoir Lionel Jospin dans son bureau du premier étage lorsque Pierre-René Lemas, le secrétaire général de l'Élysée, et Aquilino Morelle, son conseiller politique, trépignent à l'entrée pour l'informer du scandale et connaître la marche à suivre. « *Affaire privée* », répond-il.

Un peu plus tard, il est au Conseil économique, social et environnemental (CESE) avec Jean-Marc Ayrault pour vanter les vertus de l'institution et l'esprit de rassemblement. La presse naturellement est aux abois. Les deux hommes s'isolent un court instant dans le bureau que leur a aimablement prêté Jean-Paul Delevoye, le président du CESE : « *Il faut que tu interviennes tout de suite, il ne faut pas laisser abîmer l'autorité présidentielle* », plaide le premier ministre effaré, mais François Hollande s'y refuse et c'est Jean-Marc Ayrault qui s'y colle. Interrogé sur la Chaîne parlementaire, le premier ministre ose un timide : « *Chacun doit être à sa place.* »

En réalité, c'est de répudiation qu'ils rêvent tous car la favorite sans statut a eu le temps de déployer ses talents et de collectionner les ennemis. Pendant la campagne, elle a fait les grâces et les disgrâces comme aux pires temps de la monarchie. Ceux qui comme Jean-Louis Bianco portaient l'étiquette Royal ont été rayés de la campagne, les trop proches de « François » ont été mis au piquet comme le fidèle Stéphane Le Foll, brusquement isolé. « *Elle était éruptive, faisait régner la terreur* », témoigne un membre du staff.

À présent qu'elle s'est fourrée toute seule dans la nasse, les langues se délient, comme un fiel trop longuement contenu. La campagne est revisitée à l'aune de la jalousie maladive de la favorite, de son caractère volcanique, de sa fixation anti-Royal. Déjà des cris, des menaces, un ultimatum en octobre 2011 lorsque le candidat s'en était allé négocier en tête à tête le ralliement de son ex-compagne dans l'entre-deux-tours de la primaire. Nouvelle crise de nerfs en avril 2012, juste avant le meeting de Rennes, parce qu'une poignée de main doit être publiquement échangée entre le candidat et la mère de ses quatre enfants et qu'elle ne le supporte pas et qu'elle se venge en obligeant la fière Royal à lui serrer la main, elle la favorite, sous l'œil des caméras !

Quand l'orage éclate, le candidat fait le gros dos, sincèrement affligé par ces débordements qui heurtent sa pudeur et entament sa liberté. Combien de fois avec elle devra-t-il répéter que « *les affaires privées se règlent en privé* », lui qui, depuis le début, mélange pourtant tout, la politique et les affaires de cœur sans pudeur aucune ? Pas plus qu'à l'Élysée, il n'y a d'intimité dans une campagne et ils sont nombreux à assister, silencieux, à ces scènes qui leur font détourner le regard, gênés, et à penser, au fond d'eux-mêmes, que cela ne pourra pas durer, qu'il faudra qu'il la répudie.

À l'été 2011, Julien Dray, son vieil ami, tire la sonnette d'alarme, lui dit qu'il faut en finir, qu'elle le met en danger. Il ne l'écoute pas, et elle naturellement lui en voue une haine inextinguible. À l'automne, c'est François Rebsamen qui se dévoue à son tour et ose parler à son ami, mais lui, gêné, botte en touche, demande à ses proches de la calmer, de la rattraper, de la rassurer. Un chevalier servant est là justement, tout prêt à servir : Manuel Valls, le rallié de l'entre-deux-tours, promu directeur de la communication. L'ambitieux a compris que chaque scène évitée le fera pénétrer un peu plus dans le cercle des favoris. Avec son épouse, la violoniste Anne Gravoin, il entoure d'attentions la compagne qui n'a pas su trouver sa place, la défend, la protège, et ce n'est que bien plus tard, lorsque tout sera terminé, qu'il osera ce cri du cœur : « *Valérie ? Je m'en suis occupé six mois, plus jamais ça !* » Car chaque fois, les crises recommencent, et plus la victoire approche, plus la favorite devient nerveuse et éruptive au point un jour de s'évaporer au beau milieu de la tournée. Elle a pris la fuite sans crier gare !

On voudrait avoir pour elle l'indulgence que Stefan Zweig portait à Marie-Antoinette, jeune beauté parachutée d'Autriche à l'âge de 14 ans et qui subit sept ans durant l'échec d'un mariage non consommé sous les quolibets de la cour, mais l'histoire ne colle pas : Valérie a séduit François au milieu des années 2000, ils se sont aimés ; elle l'a aidé à réaliser son rêve élyséen. Et maintenant que le but est atteint, l'aventure s'achève.

Cinq ans plus tôt, un autre drame s'était produit, imprimant sur le début du quinquennat Sarkozy des mots indélébiles tels que « Fouquet's » ou « yacht de Bolloré ». Cécilia avait porté son époux aux marches de l'Élysée et l'histoire s'achevait au moment où tout commençait. Étrange sortilège ! Elle aussi était terrorisée à l'idée de se retrouver enfermée dans cette prison dorée avec la prescience toute féminine que le jeu n'en vaut pas la chandelle dans cette France versatile, prête à brûler en un rien de temps ce qu'elle a adoré.

Dans les dîners en ville, on ne parle d'ailleurs que de cela, du sabordage successif de ces deux pétroleuses, si ambitieuses et si fragiles à la fois. L'idée même de Première dame semble remise en cause, ce qui a le don de mettre en fureur l'indestructible Bernadette Chirac qui, estimant avoir tenu son rang pendant douze longues années, et l'avoir bien tenu, ne supporte pas qu'au Conseil constitutionnel un certain Jean-Louis Debré, son ennemi juré, puisse murmurer qu'une Première dame n'a pas d'existence constitutionnelle, ce qui est pourtant la stricte réalité.

Mais Bernadette a raison, car tout bien réfléchi, Valérie Trierweiler veut bien apprendre le métier de reine. Elle s'amende, promet de tourner désormais « *sept fois son pouce avant de tweeter* », se prend de passion pour l'humanitaire. Mais c'est trop tard, le pays l'a prise en grippe. En mars 2013, alors qu'il visite Dijon, la ville dont François Rebsamen fut longtemps maire, le président est alpagué par une femme : « *Ne vous mariez pas avec Valérie, on l'aime pas !* » Lui, estomaqué : « *De quoi se mêle-t-elle ? En quoi ça la regarde ?* » Mais il a compris le message. Il n'y aura pas de reine à l'Élysée et cela se paiera cher car il ne sait pas répudier. Il ne l'a jamais su. Il va juste voir ailleurs, sur son scooter, sans se douter qu'un matin le magazine people *Closer* fera de lui le premier roi casqué de l'histoire de France, piteuse cocasserie dans un pays qui s'enfonce chaque jour un peu plus dans la crise.

Tout, décidément, est d'une légèreté déconcertante dans ce règne, hormis l'implacable vengeance qui s'abat onze mois plus tard sur le monarque vacillant. La conspiration a été menée dans le plus grand secret, le temps que le venin passe de l'encrier au papier. Lorsque le brûlot sort, sous le doux titre de *Merci pour ce moment* aux éditions Les Arènes, réputées pour leur sérieux, c'est la stupéfaction. L'éconduite a transgressé tous les codes de la bienséance, elle a tout raconté, les scènes et les cachets de tranquillisants, surtout elle a dynamité la cloison symbolique qui existait entre le bureau présidentiel et la chambre à coucher du roi. Il n'y a plus rien de sacré et le livre évidemment s'arrache pour devenir le best-seller de l'année.

« *Pas convenable* », aurait grondé Jacques Chirac, « *pas facile* », réagit François Hollande. L'homme est touché, blessé « *au plus profond de lui* », disent ses amis, mais il en faut plus pour abattre le politique. Passé le moment de stupeur, le président contre-attaque, en personne, sur un passage précis, les « sans-dents » qui, s'il n'y prend garde, le ferait passer, lui l'homme de gauche, pour l'ennemi des pauvres. « *Cette attaque... je l'ai vécue comme un coup porté à ma vie tout entière* », confie-t-il quelques jours plus tard à un journaliste du *Nouvel Observateur*, qu'il a convié à l'Élysée pour rappeler que « *dans toutes ses fonctions, tous ses mandats* », il n'a « *pensé qu'à aider, qu'à représenter ceux qui souffrent* ». Et en renfort lui si verrouillé n'hésite pas à convoquer pour l'occasion ses *deux* grands-pères, le maternel « *petit tailleur d'origine savoyarde* », et le paternel « *instituteur, issu d'une famille de paysans pauvres du nord de la France* ». Atteint, certes, mais offensif et surtout libéré, le président. Il sait d'où il vient.

IV.

La vie en rose

Il travaille jour et nuit. D'arrache-pied. Comme pour se punir, rattraper le temps perdu, se convaincre qu'il a encore la main, que tout n'est pas perdu. Au premier étage du palais, le halo de lumière qui filtre des hautes fenêtres jusqu'au milieu de la nuit vient de son bureau. Une pile de journaux jonche le sol, des papiers sont étalés partout sur sa table de travail. Penché au-dessus, le roi bienveillant annote de son écriture ronde et serrée. Dégrisé, concentré, inquiet.

Cet été, particulièrement chaud dans le Midi, a été comme un seau d'eau froide reçu en pleine figure. Coincé derrière les hauts murs du fort de Brégançon, poursuivi par les paparazzi, le nouveau président, trois mois après son élection, s'est senti « *enfermé, traqué* », rapportent ses amis. Surtout, il a compris que la situation était en train de lui échapper et que le ridicule pouvait tuer. Installé à quelques milles nautiques de là, dans la villa patricienne du cap Nègre qui appartient à la famille de son épouse Carla Bruni, Nicolas Sarkozy a observé de près et moqué devant ses amis ce « *Monsieur Bidochon* » qui déambule en bermuda

sur les plages comme au temps béni des Trente Glorieuses. Puis, n'y tenant plus, il a dégainé avec férocité
en publiant en plein mois d'août un communiqué sur
la guerre en Syrie comme pour signifier qui est le
roi, le vrai. Au troisième jour de son tête-à-tête avec
Valérie Trierweiler, François Hollande a réactivé son
portable : agir et vite !

Le 11 août, Pierre Moscovici barbote dans une pis-
cine en Corse lorsqu'il reçoit un coup de fil comminatoire : il faut faire baisser le prix de l'essence.
Comme si le ministre de l'économie avait ce pouvoir !
Trois jours plus tard, Manuel Valls rejoint François
Hollande dans le Midi. Le président ne masque plus
son inquiétude : « *Quelque chose ne marche pas* », lâche-
t-il devant le ministre de l'intérieur.

Ce que le novice a perçu mais trop tard, c'est ce
que ses amis appellent entre eux « *l'erreur originelle du
quinquennat* » : un invraisemblable excès d'optimisme
qui lui a fait rater l'opération vérité des comptes et
l'a placé d'emblée en porte-à-faux avec les Français,
avec très peu de temps pour se refaire.

Une minute d'égarement mais terriblement coû-
teuse, et pourtant il est énarque et l'économie le pas-
sionne ! Pendant la campagne, François Hollande a
préfacé le sombre livre de Michel Rocard *Mes points sur
les i* (Éditions Odile Jacob) qui ne laisse guère planer
de doute sur la suite des événements. L'ancien premier
ministre de François Mitterrand l'a écrit pratiquement
d'une seule traite, de retour d'une tournée mondiale
où il a pu mesurer les effets de la crise des subprimes
et « *l'inanité des conversations, la vacuité du débat* ». Son
jugement est sans appel : « *Le capitalisme est entré dans*

une crise profonde, aucun retour à la normale n'est envisageable. Nous sommes partis pour des années de croissance faible et peut-être même de récession. Il faut le dire clairement et essayer de penser un monde qui sera radicalement nouveau. »

À peine élu, François Hollande oublie tout ce qu'il a lu et clame : *« La reprise va arriver ! »*, ce qu'aucune statistique ne valide et pour cause : la zone euro est en pleine crise. Quand on met en doute sa croyance, l'ancien prof à Sciences Po se raccroche à la théorie des cycles, il y croit dur comme fer : à un moment donné, l'activité tombe si bas que les entreprises ne peuvent faire autrement que d'investir pour maintenir l'outil de travail. Comme cela fait bientôt quatre ans que le pays est en panne, l'investissement va repartir et la reprise avec, c'est sûr ! Malheureusement, c'est exactement le contraire qui se produit.

Deux ans plus tard, enlisé dans une désespérante stagnation, le président se justifie : *« L'héritage était terrible, je n'ai pas voulu dramatiser, j'avais peur que les investisseurs se détournent, qu'on devienne comme l'Italie ou l'Espagne. J'ai vécu dans la hantise d'une fuite des capitaux. Je me voyais comme Mitterrand le jour de son investiture avec Mauroy qui lui disait "Il faut dévaluer" et lui qui répondait "On ne dévalue pas le jour de la victoire." »* Peut-être mais des ministres, témoins de cette période, se souviennent d'un François Hollande très heureux d'avoir été élu et pas encore tout à fait dégrisé. *« Il avait adoré la campagne, le contact avec les Français, ne voulait pas leur faire de mal, souhaitait être aimé »*, rapporte l'un d'entre eux. Donc rien qui effraie les Français, rien qui charge l'héritage, rien qui clame l'effort indispensable. « *Il a deux cerveaux*, dit son ami Pascal Lamy, l'ancien directeur général de l'Organisation mondiale du commerce, *l'un qui comprend tout, l'autre qui fait de la politique.* »

À Matignon, Jean-Marc Ayrault est beaucoup plus lucide que le président, mais de là à jouer les Pierre Mauroy, à harceler le président le jour de l'investiture... il est bien trop heureux d'avoir été choisi. Jacques Attali pourtant le pousse et plutôt deux fois qu'une : « *Tu es un réformateur, tu veux redresser le pays, vas-y, ose, parle-lui* », lui dit un jour l'ancien conseiller de François Mitterrand qui connaît le rôle crucial joué par l'ancien maire de Lille aux heures dramatiques du premier septennat de François Mitterrand. Mais difficile de forcer sa nature. Juillet est là qui a enfin arrêté la pluie. Le soleil éclabousse les jardins de l'hôtel Matignon qui prend vite des allures de maison de campagne lorsque l'été s'installe. Tout invite le premier ministre au bonheur d'avoir été nommé, sauf les chiffres, c'est-à-dire le réel.

Dix jours auparavant, Didier Migaud, le premier président de la cour des comptes, a transmis à l'exécutif le rapport sur les comptes publics qui sera bientôt divulgué. Le ton est grave, presque dramatique. Les magistrats évoquent « *un moment crucial* » dans la conduite du redressement. Les chiffres qu'ils citent font froid dans le dos : entre 2007 et 2012, la dette publique a augmenté de 600 milliards d'euros. Elle pèse désormais près de 90 % de la richesse nationale, son montant représente en moyenne 62 000 euros par ménage. Voilà l'héritage sarkozyste.

La Cour sait ce que cette avalanche de données peut avoir d'irréel, elle fait donc assaut de pédagogie, explique que le remboursement de ses intérêts coûte chaque année à l'État l'équivalent des budgets de la défense et de la justice réunis. Elle parle de « *zone dangereuse* » et met en garde contre le risque d'un « *emballement* » qui se traduirait par une hausse brutale des taux d'intérêt. Elle signale enfin qu'il manque près de 10 milliards d'euros dans les caisses de l'État pour boucler le dernier budget. Tous les chiffres sont disponibles pour une grande opération vérité. Il manque juste Churchill.

Une poignée de conseillers s'est attelée à la préparation du discours. Quand l'un d'eux demande au premier ministre « *Par quoi veux-tu commencer ?* », celui-ci répond : « *Il faut dire la vérité.* » À Bercy, un autre document a atterri sur le bureau du ministre de l'économie Pierre Moscovici, tout aussi alarmant. Le gros classeur blanc, déposé le jour de la passation des pouvoirs, par Ramon Fernandez, le directeur du Trésor, comporte une note introductive de quelques pages et une centaine de fiches qui passent tout en revue : le budget, les régimes sociaux, la balance commerciale, l'état de l'industrie, du crédit, etc. Une copie a été adressée à l'Élysée et à Matignon. Rédigée en mai, alors que l'Espagne est encore victime d'attaques spéculatives, la note introductive décrit une situation très tendue en Europe et souligne la position inconfortable de la France, nettement distancée par l'Allemagne et à peine moins mal que l'Italie et l'Espagne. Le message est clair : agir vite et fort pour ne pas devenir l'homme malade de l'Europe.

Jean-Marc Ayrault est ébranlé. « *J'étais prêt à parler de la sueur et des larmes* », jure-t-il avant de faire machine arrière : « *J'ai trouvé cela trop grandiloquent, je me suis autocensuré.* » L'autocensure a une autre raison : pendu à son portable, le président ne cesse de réconforter son premier ministre. Plein de gentillesse et de sollicitude, il distille encouragements et conseils : « *Ne te mets pas la pression, si c'est trop dur, ça décourage* », susurre-t-il. La vie en rose !

À l'Élysée, le cabinet est divisé. Emmanuel Macron, le secrétaire général adjoint, plaide pour l'opération vérité, Aquilino Morelle, le conseiller politique, aussi. En revanche, Pierre-René Lemas n'est pas convaincu : à quoi bon inquiéter ? « *Mais tout se fait en bilatéral, il n'y a pas de confrontation générale* », précise un acteur. De toute façon, le président n'en démord pas : il a été élu pour apaiser, pas pour crisper. Il croit à la psychologie, la confiance appelle la croissance. « *La France ne doit pas se laisser envahir par une vision de la récession ou du doute* », répète-t-il.

Il ne veut pas dramatiser, il ne veut pas faire le coup de l'héritage. Il rejette les mots « rigueur » ou « austérité » qui viendraient tendre les relations avec la gauche, alors que le délicat traité budgétaire européen, signé par son prédécesseur, reste à ratifier. Ce qu'il dit à son premier ministre, il le répète à ses ministres : « *Ne soyez pas anxiogènes.* »

Le 3 juillet, dans l'hémicycle de l'Assemblée nationale, Jean-Marc Ayrault signe sa reddition. « *Je ne suis pas venu lancer un débat sur l'héritage* », lance le premier ministre. La droite, offensive et revancharde, ne lui en sait même pas gré. Elle hue copieusement ce premier ministre qui n'a pas osé réveiller le président. Le décor est planté. Les ennuis commencent.

V.

La folie fiscale

Un séminaire budgétaire s'est tenu avant l'été, édifiant : lorsque le ministre du budget, Jérôme Cahuzac, a pris son air le plus martial pour dire qu'il fallait tenir les budgets, stabiliser les effectifs, gratter dans les dépenses de fonctionnement, Arnaud Montebourg, le héraut du redressement productif, s'est récrié : *« Désendetter, ce n'est pas un projet de société, la France est un grand pays ! »* Aurélie Filippetti, la ministre de la culture, est apparue très secouée. *« La vérité n'est visiblement pas parvenue à tous les ministres »*, a grincé, pince-sans-rire, Nicole Bricq, l'éphémère ministre du commerce extérieur, l'une des rares à monter en renfort de Jérôme Cahuzac. Elle ne croit pas si bien dire. François Hollande s'est engagé à réduire les déficits, mais, pour la gauche, il est hors de question de réduire la dépense publique. Pour le président aussi : *« Cela reviendrait à remettre en cause des politiques publiques »*, explique-t-il à l'époque. Ce sera donc l'impôt.

Les rêves de reprise économique se sont évanouis. *« Nous sommes face à une crise d'une gravité exceptionnelle »*, est convenu le chef de l'État le 31 août 2012, lors d'un déplacement à Châlons-en-Champagne. Enfin ! Mais son discours, mal diffusé, est passé totalement inaperçu. La pédagogie n'est vraiment pas son fort. Et l'équation s'est compliquée : *« 0,1 point de croissance en moins, c'est 1 milliard de recettes en moins »*, a calculé Jean-Marc Ayrault.

Dès l'été, une première salve d'impôts a été votée pour 11 milliards d'euros. Il fallait solder l'héritage, limiter la dérive du dernier budget de droite. L'addition a été payée pour l'essentiel par les banques et les plus fortunés, ce qui était conforme aux annonces de la campagne, mais par antisarkozysme, et aussi un peu par cynisme, une mesure défavorable aux électeurs des classes moyennes et populaires a été retenue : les heures supplémentaires qui permettaient à certaines professions – enseignants et ouvriers surtout – de mettre un peu de beurre dans les épinards en fin de mois ont été refiscalisées. Une attaque en règle : plus de 9 millions de salariés sont concernés qui vont perdre en moyenne 432 euros par an, selon les calculs de la direction du Trésor. *« Il n'y a pas de syndicats de ceux qui sont aux heures supplémentaires »*, a fait valoir quelqu'un autour de la table, pour emporter la décision, lors des ultimes arbitrages à l'Élysée. Bravo la gauche !

« On paie souvent la première loi de finances rectificative », reconnaîtra plus tard le président à la main bien trop lourde. *« Pour Sarkozy, c'était la loi travail, emploi, pouvoir d'achat interprétée comme un cadeau fiscal, il l'a payé tout son quinquennat. Nous, on a payé les 11 milliards d'impôts nouveaux levés à notre arrivée. »*

Et si c'était à refaire ? *« Je ne serais pas allé aussi loin*, révèle en juillet 2015, François Hollande, *j'aurais gardé l'augmentation de la TVA décidée par Nicolas Sarkozy pour boucler le budget qu'il nous avait laissé, j'aurais fait le crédit d'impôt compétitivié emploi (CICE) pour les entreprises et j'aurais évité les hausses dans les budgets suivants »*, déclare-t-il.

11 milliards d'euros ! Comment n'ont-ils pas compris que c'était déjà trop, car avant il y en avait eu 30 milliards, levés par un Nicolas Sarkozy aux abois, complètement piégé par la crise, qui, la mort dans l'âme, avait dû renoncer au bouclier fiscal grâce auquel il avait tant séduit son électorat. Les deux dernières années de son quinquennat avaient été un festival de hausses : réduction de « niches » fiscales, gel du barème de l'impôt sur le revenu, pluie de taxes et de contributions « exceptionnelles » sur les hauts revenus, et cela signait son échec et cela convainquait un peu plus son rival socialiste d'assumer crânement la confrontation fiscale avec lui.

L'impôt a toujours été le marqueur politique de François Hollande, celui qui l'ancre à gauche, *« le seul »*, complètent ceux qui l'ont toujours trouvé, pour le reste, un peu mou. Et cela ne date pas de la campagne, cela remonte à loin : l'impôt a accompagné tous ses combats politiques au sein même de la famille socialiste lorsqu'il fallait tenir la maison face aux droitiers et aux hérétiques.

C'est lui François Hollande qui, jeune parlementaire, avait voulu augmenter la fiscalité des plus-values mobilières contre l'avis du premier grand dérégulateur, le socialiste Pierre Bérégovoy. Lui encore qui, à l'aube des années 2000, avait mené la fronde contre la baisse de l'impôt sur le revenu engagée à Bercy par Laurent Fabius. C'est toujours lui qui, lorsque Ségolène Royal concourait à la présidentielle, avait préconisé d'augmenter l'impôt des contribuables disposant de revenus supérieurs à 4 000 euros mensuels (« *les riches* » comme il les avait appelés un jour d'égarement). Son ex-compagne en avait été fort marrie : elle ne voulait surtout pas effaroucher les classes moyennes.

Quand on lui oppose l'allergie fiscale qui monte chez ses concitoyens, Hollande s'obstine : « *Il faut assumer la confrontation avec la droite sur l'enjeu fiscal car cela révèle deux conceptions de la société.* » Pour lui, l'impôt, c'est ce qui reste à la gauche lorsque tout le reste s'est effrité.

Le président socialiste cherche à présent 20 milliards d'euros pour renflouer les budgets de l'État et de la sécurité sociale. L'inconscient ! Il ne réalise donc pas que les Français n'en peuvent déjà plus, qu'ils sont à deux doigts de l'overdose, prêts à rejeter un système d'imposition devenu presque aussi impopulaire que la fiscalité d'Ancien Régime et pour cause : en additionnant la part de l'État, de la sécurité sociale et des différents acteurs territoriaux, il est devenu le plus lourd de tous les pays de l'Union européenne. En outre, il ressemble à un inextricable maquis, du fait de l'ingéniosité du service de la législation fiscale et de l'inextinguible appétit des parlementaires pour les taxes en tout genre qui, levées à chaque discussion budgétaire, permettent de financer l'ultime subvention votée.

Depuis l'après-guerre, le pays est littéralement shooté à la dépense publique : 57 % de la richesse nationale ! Presque un record. En Europe, seules la Suède et la Finlande font mieux. Tout cela se paie, mais comme la France s'est progressivement ouverte aux quatre vents, il a bien fallu freiner l'exil des riches. Comme, en outre, elle est minée par un chômage de masse, il a fallu aussi faire en sorte que les moins favorisés ne soient pas trop écrasés. Toutes sortes de faveurs, d'exemptions, de niches ont donc proliféré, contribuant à transformer le maquis en gruyère et à donner aux classes moyennes le désagréable sentiment d'être devenues les vaches à lait du système. Le résultat est que personne ne sait ce que paie réellement son voisin, ce qui, somme toute, vaut mieux pour la concorde du pays. Quant au président, il a intérêt à ne toucher à rien s'il veut sauver sa tête. Laurent Fabius qui a été ministre du budget de François Mitterrand au tout début des années 1980 reste, des années plus tard, marqué par le résultat d'un sondage commandé à cette époque. Priés de répondre à la question suivante : « *Trouvez-vous que vous payez trop d'impôts ?* », la moitié des Français qui ne le payaient pas pensaient effectivement qu'ils en payaient trop !

François Hollande sait tout cela : il est énarque, ancien conseiller à la cour des comptes, grand spécialiste de la matière fiscale, grand dévoreur de rapports mais visiblement déconnecté de la vie réelle car il saute à pieds joints dans le piège, avec pour seul souci de convaincre que seuls les riches paieront, ce qui est évidemment faux. Pendant la campagne, son équipe a travaillé sur deux hypothèses . annuler toutes les baisses d'impôts décidées depuis 2001 pour récupérer 70 milliards d'euros. Ou bien monter jusqu'à 100 milliards d'euros. Dans les deux cas, du plus petit contribuable au plus gros, tous seront mis à contribution mais chut ! le candidat ne l'a jamais dit.

Il a fait diversion avec sa taxe à 75 % qu'il a sortie du chapeau lorsque Jean-Luc Mélenchon a commencé à lui mordre le mollet. Concoctée dans le plus grand secret par Aquilino Morelle, l'ancien directeur de campagne d'Arnaud Montebourg, cette taxe est un résumé de tout ce qu'une partie de la gauche exècre : la mondialisation libérale et la richesse. Quand ils la découvrent, Emmanuel Macron, consterné, s'exclame *« C'est Cuba sans le soleil ! »*, Jérôme Cahuzac menace de faire sécession. François Hollande en revanche savoure le coup politique : aux yeux de Nicolas Sarkozy, il est enfin quelqu'un : de Monsieur 3 % il est passé à Monsieur 75 % ! Mais au moment de l'annonce, sur le plateau de TF1, sa langue fourche. Il s'emmêle dans les chiffres, annonce que l'impôt frappera les revenus supérieurs à un million d'euros par mois alors qu'il s'agit en réalité d'une taxation sur les revenus supérieurs à un million d'euros par an. Son subconscient a parlé, cette taxe n'est ni fait ni à faire, car qui peut sincèrement croire à cette fable que sous le règne hollandais, à l'heure de la mondialisation et des délocalisations, les riches se laisseront gentiment plumer pour réparer les dégâts de la finance folle désignée pendant la campagne comme le *« véritable ennemi »* ?

En réalité, tout le monde paiera, mais le président jure que non. Il ne veut pas faire de mal, il ne veut pas inquiéter. *« Neuf Français sur dix ne seront pas concer-*

nés », assure-t-il, alors que Bercy s'apprête à dévoiler le contenu des lois de finances. C'est la communication voulue par le ministère du budget et validée par lui. À Matignon, on n'en revient pas : *« Qui peut croire à cette blague ? »* murmure l'entourage du premier ministre alors que les impôts et les taxes tombent comme à Gravelotte : taxe à 75 %, tranche à 45 %, plafonnement du quotient familial, nouveau coup de rabot sur les niches fiscales sans oublier toute une pluie de nouvelles contributions et le gros morceau : l'alignement de la fiscalité de l'épargne sur celle des revenus. Une folie. Le début de la folie fiscale !

Hollande a la main lourde, trop lourde. Il ne peut s'en prendre qu'à lui-même. Pendant toute cette période, le président ne se contente pas de superviser l'élaboration des lois de finances, il les fait, rivalise de créativité avec son ministre du budget Jérôme Cahuzac qui connaît son affaire mais se montre arrogant et ne tarde pas à se faire détester de la plupart de ses collègues. Un observateur qui les regarde faire parle *« d'un concours de chefs de bureau de la législation fiscale »*. Personne ne peut les arrêter.

Pendant ce temps, les deux autres ministres de Bercy, Arnaud Montebourg et Pierre Moscovici, qui pourtant ne s'aiment pas, communient dans la même crainte : *« Avec cette politique, on va très vite être impopulaires »*, s'inquiètent-ils un jour que la vedette des douanes les ramène à Bercy. Le 11 septembre 2012, Arnaud Montebourg n'y tient plus. Il prend la plume pour stopper l'ardeur du ministre du budget qu'il appelle *« le docteur Folamour de la hausse d'impôts »*. Dans une note intitulée « Le plan C comme Croissance » qu'il adresse à François Hollande, il s'inquiète des effets de la politique fiscale sur une croissance atone et suggère de réduire de 8 milliards d'euros l'objectif de baisse des déficits.

En vain, l'Élysée n'accuse même pas réception de sa note : la France est sous l'étroite surveillance des marchés. Ce n'est pas le moment de relâcher l'effort. Il faut colmater, prélever autant que possible en évitant la mesure de trop qui fera déborder le vase. C'est pour cela que le président s'implique autant dans l'exercice, qu'il impose le secret, qu'il ne laisse à personne d'autre le soin de doser l'amère potion, qu'il devient technicien de l'impôt, prisonnier de la « boîte à outils » fiscale qu'il pense parfaitement maîtriser, exactement comme ce jour où il lance l'absurde promesse d'inverser la courbe du chômage dès la fin de l'année 2013. Le brillant résultat d'une discussion avec Michel Sapin, le pari fait par deux énarques qu'avec les emplois aidés, c'est mathématique, la courbe du chômage s'inversera. Ils font leur coup en douce, le premier ministre n'est même pas au courant. « *Tu te mets en danger* », lâchera, dépité, Jean-Marc Ayrault.

C'est ce goût du secret, cette atmosphère de forteresse assiégée, qui vont bientôt conduire François Hollande à encaisser le premier accident fiscal du quinquennat, la première fronde patronale, cette envolée de « pigeons » qui enflamme brutalement la Toile et qui n'aurait jamais dû être. Elle résulte d'une magistrale bévue qui est elle-même le fruit d'une trop grande méfiance : les organisations professionnelles qui devaient être consultées en amont ne l'ont pas été, par crainte des fuites qui alimentent d'incessantes campagnes de presse, si bien que lorsque l'article fiscal qui soumet les plus-values au barème de l'impôt sur le revenu sort des arbitrages, personne, dans les hautes sphères du pouvoir, n'a réalisé que les « *business angels* » allaient réagir avec une telle violence. Or, ces investisseurs-là, François Hollande les ménage. Dans sa détestation affichée des riches, il les épargne, car leur « *richesse est fondée sur le talent, le mérite, l'engagement, la création d'entreprise* ». C'est sur eux qu'il veut s'appuyer pour faire redémarrer la croissance. Très vite, il organise le repli, fait monter au créneau Pierre Moscovici, l'un des rares ministres à Bercy auxquels les chefs d'entreprise ne rechignent pas à s'adresser.

Trop tard, le monde de l'entreprise l'a pris en grippe. Le lobe droit du cerveau du roi s'en inquiète, le lobe gauche n'y parvient pas encore. Le stage n'est pas encore fini !

VI.

Sur le sentier de la guerre

Le Mali l'a sauvé. Et c'est tout le paradoxe de ce président débonnaire que d'avoir trouvé par la guerre l'essence de sa fonction. Huit longs mois de procrastination et de suicide politique sur la scène intérieure pour soudain se réveiller, décider et se révéler sur le théâtre extérieur. Il n'était donc pas mort.

Le vendredi 11 janvier 2013 en fin de matinée, François Hollande est enfermé au premier étage du palais dans le salon vert qui jouxte le bureau présidentiel. Autour de la longue table ovale, rien que des chefs : le premier ministre, le ministre des affaires étrangères, celui de la défense, de l'intérieur, le chef d'état-major des armées, le chef d'état-major particulier, du sûr, du pas bavard, un vrai pack d'union pour gérer la guerre. Une carte est déployée, le plan de l'état-major validé. François Hollande ordonne l'opération Serval à laquelle il s'est rallié la veille : des frappes aériennes vont pilonner les camps d'Al-Qaida au Maghreb islamique et tenter de stopper l'avancée des djihadistes dont l'état-major assure qu'ils s'apprêtent à déferler sur la capitale Bamako où se trouvent environ 6 000 ressortissants français. Dans la foulée, Paris déploie 1 800 hommes en renfort des troupes tchadiennes, nigérianes, nigériennes, togolaises, béninoises, dans ce pays deux fois plus grand que la France, sans mandat explicite du Conseil de sécurité de l'ONU. Seule une lettre du chef de l'État malien Dioncounda Traoré a donné un semblant de base légale à l'opération. Et elle a été rédigée à la demande des autorités françaises !

L'ancien militant socialiste est entré en guerre sans états d'âme et à la surprise générale. Deux mois plus tôt, il assurait *« qu'en aucun cas la France n'interviendrait au Mali »*. Jusqu'au bout, des voix au palais ont plaidé la prudence, et pas des moindres : le général Puga, chef d'état-major particulier, a mis en garde contre les risques d'une intervention dans la région. Paul Jean-Ortiz, le conseiller diplomatique, s'est inquiété d'un relent de Françafrique, soulignant l'effet potentiellement désastreux d'une intervention militaire de la France dans une ancienne colonie africaine, sans tampon de l'ONU. Mais le ministre de la défense Jean-Yves Le Drian sait se montrer convaincant. Depuis l'été, les militaires français sont sur le pied de guerre : les islamistes ont conquis le Nord-Mali de façon foudroyante. En face, l'armée malienne s'est comme évaporée. Des armes et des hommes arrivent de Libye. Cette fois, c'est le Sud qui est menacé. Ansar Dine, le Mujao et Aqmi, les trois mouvances islamistes armées qui agissaient jusqu'à présent de façon autonome, se sont regroupées et s'apprêtent à déferler sur Bamako. Si la France ne veut pas assister à la marche triomphale des djihadistes, il n'y a plus une minute à perdre. Et François Hollande décide, sans laisser apparaître l'ombre d'une hésitation.

Le Faucon avait bien caché son jeu. Aussitôt, il gagne en gravité, en verticalité, en autorité, car pour une fois, il a su trancher, expliquer, mobiliser. Dès les frappes décidées, le président s'engage à fond, joue au chef de guerre : « *On ne se contente pas de Tombouctou, on doit contrôler le Nord très vite* », ordonne-t-il. Lui qui d'ordinaire sait si peu le faire communique enfin : deux interventions solennelles vendredi et samedi. Puis charge son ministre de la défense d'assurer le service après-vente tandis que le premier ministre informe la représentation nationale.

Pour la première fois de son quinquennat, tout tourne rond et les critiques sont marginales. C'est un moment de communion nationale, un instant gaullien. « *Face à une épreuve, je fais en sorte que la France soit là où elle devait être* », déclarera le président quelques jours plus tard depuis Abu Dhabi où il est venu soutenir les soldats français. Plus étonnant, c'est au milieu de ce terrible drame humain qu'il avoue son sentiment profond, sous le chaud soleil malien, lorsque, acclamé par la foule à Bamako où il a accouru en bravant toutes les consignes de prudence, il dit vivre « *le plus beau jour de sa vie politique* ». Pour la première fois, François Hollande est ovationné comme président, en adéquation avec la fonction qu'il incarne. Et tant pis si c'est la chose militaire et le sang versé qui lui permettent de démontrer enfin toute la pertinence de son slogan : « *La France n'est pas le problème, elle est la solution.* »

Il y a pourtant une part de risque insensée dans ce
« *combat contre le terrorisme* » qui s'ouvre au Sahel, dans
une région trois fois plus grande que l'Europe, se
prolonge en Centrafrique, gagne le Levant et conduit
la France à mobiliser quelque 9 000 membres de ses
forces armées sur le théâtre extérieur : une guerre
asymétrique, « *sournoise* », de longue durée, qui fait
fi des frontières et trouve un prolongement dramatique sur la scène intérieure avec les attentats de
janvier 2015 qui déciment l'équipe de *Charlie Hebdo*
et meurtrissent la communauté nationale. Ajoutez
encore six otages français tués à travers le monde,
quelque 1 400 djihadistes de nationalité française, ou
résidant en France, recensés pour leur implication
dans le djihad au Levant et la crainte ouvertement
exprimée par Manuel Valls de nouveaux attentats
sur le sol français. « *Jamais, dans son histoire récente,
la France n'a connu une telle connexion entre les menaces
directes sur son sol national et celles qui se multiplient à
l'extérieur de ses frontières* », reconnaîtra, pour sa part,
le ministre de la défense lors d'une conférence de
presse, le 11 mars 2015.

Pourtant, la main de François Hollande ne tremble
pas. Au contraire, le président est aux avant-postes.
Il s'engage, s'expose, parfois trop, comme dans l'affaire syrienne, en août 2013, sept mois après l'entrée
en guerre au Mali. Des quartiers de Damas ont été
bombardés à l'arme chimique. Inacceptable. Humai-
nement et militairement : c'est toute la doctrine de
la non-prolifération qui est en jeu. Aussitôt, le chef
de l'État français réclame une riposte militaire en
dénonçant « *une violation monstrueuse des droits de la*

personne humaine ». Quelques jours plus tard, le Parlement britannique en refuse le principe, qu'importe ! il persiste : *« Chaque pays est souverain »*, rétorque-t-il le 31 août dans un entretien au journal *Le Monde,* en assurant *« disposer d'un faisceau d'indices qui vont dans le sens de la responsabilité du régime »*.

Mais en France, le quasi-unanimisme qui s'était noué autour de la guerre au Mali se fissure dangereusement. Alain Juppé et Édouard Balladur soutiennent le principe d'une intervention mais Dominique de Villepin appelle à la prudence, François Fillon réclame au préalable des preuves contre le régime syrien et des buts de guerre précis. Valéry Giscard d'Estaing et Jean-Louis Borloo veulent l'aval de l'ONU. Jean-Pierre Chevènement et François Bayrou se prononcent franchement contre mais lui ne veut pas en démordre : *« Quel est le plus grand danger ? Punir un pays qui a utilisé l'arme chimique ou laisser faire un clan aux abois qui peut avoir la tentation de recommencer ? »* Ce sera donc la guerre jusqu'à ce que Barack Obama, lâché par le Congrès, l'abandonne en rase campagne.

François Hollande reçoit le coup de téléphone du président américain un matin, en plein conseil de défense. Lorsqu'il regagne le salon vert, il est défait. *« C'est le seul jour de ma vie où je l'ai vu décomposé, tout son plan de reconquête s'effondrait »*, note un participant. Tout était pourtant prêt, tout avait été coordonné avec les troupes américaines. Les Rafale préchauffaient. Les frappes devaient toucher le commandement de l'armée chimique car c'est ainsi : Bachar el-Assad a créé une armée chimique à côté des trois corps traditionnels terre, air, mer. Mais à la toute dernière minute, le président américain s'est défilé. Trois ans plus tard, un ministre de François Hollande soupire, reconnaissant : « *Merci, Obama, de nous avoir sauvés de l'enlisement.* »

Aux yeux du président, la guerre est l'affirmation de la puissance française. Elle est aussi un dérivatif aux ennuis intérieurs. Le 1ᵉʳ octobre 2012, alors que l'opinion française doute déjà terriblement de lui, le chef des armées évoque en petit comité la tentation de « *l'aventure extérieure* » qui a saisi l'un après l'autre chacun de ses prédécesseurs. Il cite notamment « *de Gaulle face aux États-Unis* » mais aussi « *Sarkozy et la guerre en Libye* ». Lui aussi a besoin d'« *aventure extérieure* » pour faire diversion et plus encore que les autres, mais il réussit à en lisser le côté aventureux parce que ses buts de guerre sont pacifiques : « *Il s'agit d'assurer la paix et le développement* », ne cesse de clamer le ministre des affaires étrangères, Laurent Fabius. En outre, tous ceux qui sont impliqués dans l'aventure sont des « pros » qui ont pour vertu de faire oublier les nombreux amateurs que François Hollande a par ailleurs installés au gouvernement. Et tant pis si tous, loin s'en faut, ne sont pas estampillés de gauche !

La guerre, c'est l'union nationale au sens large : tandis que le pays se déchire autour du mariage pour tous, il y a comme une mordante ironie à voir François Hollande guerroyer avec à ses côtés, pour le conseiller, un général issu de la droite catholique la plus traditionnelle, Benoît Puga, onze enfants, un ancien para, loyal, taiseux, nommé chef d'état-major particulier par Nicolas Sarkozy et maintenu à son poste parce qu'il est le plus aguerri en matière de renseignement militaire. Son frère, Denis, est abbé à Saint-Nicolas-du-Chardonnet, la paroisse catholique intégriste du Ve arrondissement de Paris, mais tout cela est naturellement occulté autour de la table du conseil de défense. Plus tard, en janvier 2014, François Hollande, l'ancien élève de Saint-Jean-Baptiste-de-La-Salle, récidive en nommant chef d'état-major des armées Pierre de Villiers, le frère de Philippe le souverainiste, lui aussi catholique traditionaliste dont le père, comme celui de Benoît Puga, militait pour l'Algérie française et s'était fourvoyé dans les activités de l'OAS. Mais tout cela est de l'histoire ancienne et eux, dit-on à l'Élysée, sont les meilleurs de leur génération.

Du côté des politiques, un catho de gauche au visage plastique, mangé par les rides, buriné par les tempêtes, fait contrepoids. Peu connu du grand public, Jean-Yves Le Drian, 68 ans, est un des rares ministres auxquels François Hollande peut dire merci. Avec lui les militaires sont bien gardés et les contrats pleuvent. Un jour, le ministre globe-trotter rentre d'Égypte : *« Al-Sissi va prendre des Rafale. »* C'est à peine si la voix trahit de l'émotion. L'Inde suit, puis le Qatar. Dassault est aux anges, plus d'une décennie qu'il attendait cela ! Et tant de fausses joies sous le règne de Nicolas Sarkozy. Le Drian, lui, fait le job, sans états d'âme, en profitant autant qu'il peut des difficultés que rencontrent les États-Unis dans les pays du Golfe. L'homme a du nez, des relations, l'humeur égale et la modestie non feinte. Avec lui pas d'esbroufe, mais une influence croissante y compris dans les affaires intérieures. Si Manuel Valls est aujourd'hui installé à Matignon, il sait qu'il le doit beaucoup à Jean-Yves Le Drian. Lorsque début 2014 le président en grande difficulté fait des avances à son ministre de la défense, ce dernier répond : « *Non, pas moi, Valls.* »

Le père de Le Drian était magasinier automobile, sa mère couturière d'usine. Comme Delors, il vient de la JOC, la Jeunesse ouvrière chrétienne, a conquis Lorient, siège de l'arsenal français, s'est fait un nom en Bretagne dont il a présidé la région. Par tempérament, il fuit tout ce qui brille, mais c'est un bosseur qui a de l'ambition et une idée fixe : devenir ministre de la défense. Lorsqu'en 2006 il choisit de ne plus être député, il laisse Cédric Lewandowski, son futur directeur de cabinet, un rocardien aux puissants réseaux, monter un groupe d'experts : le club Sémaphore. Dans les milieux militaires, sa réputation est vite faite au point qu'à peine élu président Nicolas Sarkozy tente de le débaucher.

C'était en pleine campagne des législatives, la gauche venait d'essuyer sa troisième défaite présidentielle. Le Drian tractait en Bretagne pour la candidate à qui il avait cédé la place. Il pleuvait dru, un chien était en train de faire ses besoins sur la boîte aux lettres où il venait de déposer son tract lorsque le téléphone a retenti. « *Allô, le président de la République souhaite vous parler.* » Surréaliste ! Le Drian n'a pas dit « non » tout de suite à Nicolas Sarkozy. Il a demandé une nuit de réflexion. Jean-Pierre Jouyet, l'autre grand ami de François Hollande qui venait, lui, de franchir la ligne invisible qui sépare la gauche de la droite, le pressait d'accepter, Bernard Kouchner aussi qui jouait les entremetteurs des intéressés. Finalement, le rocardien est resté fidèle à son ami « François » et le socialiste n'a eu qu'à s'en féliciter. Lorsqu'en mai 2012 Le Drian prend possession de son bureau de l'hôtel de Brienne, celui-là même où de Gaulle rétablit la République en juin 1944, les militaires s'aperçoivent vite qu'ils ont hérité d'un chef, un vrai : le ministre a décidé de restaurer *« la primauté du politique »* au sein d'un ministère où les galonnés ont pris, à son goût, un peu trop de place. Une forte tête, et pour le chef de l'État un ami très précieux...

Une centaine de mètres plus loin, au Quai d'Orsay, l'autre senior du gouvernement, Laurent Fabius, 69 ans, dix mois de plus que Le Drian. Lui n'est pas un ami de François Hollande. Il l'a au contraire copieusement méprisé dans une vie antérieure, l'a appelé *« fraise des bois »*, l'a combattu lors de la bataille du référendum européen de 2005 lorsque François Hollande lui contestait son rêve d'être un jour président de la République. Mais c'était hier, l'ardoise est effacée. *« Je travaille tous les jours avec Laurent Fabius, j'arrive même à oublier qu'il a voté non au Traité constitutionnel européen »*, sourit un jour le président de la République. *« Avec François Hollande c'est un travail très étroit, je lui fais confiance, il me fait confiance, avec les équipes ça marche bien »*, réplique à distance le ministre des affaires étrangères.

Ce n'est pas du chiqué, les hollandais en témoignent, un peu jaloux de la réconciliation qui s'est opérée entre les deux hommes car ils ne font pas que travailler ensemble, ils collaborent étroitement. « *Laurent Fabius a ce tempérament de pouvoir mener des batailles dures, mais quand le rapport de force est installé, il redevient cool* », décrypte un intime. Il a surtout ce qui manque à beaucoup d'autres au sein de l'équipe Hollande : le sens de l'État, le goût de la retenue, l'autorité sur son administration.

L'ancien premier ministre a fait ses classes chez Mitterrand, du temps où les ministres s'autorisaient à tout dire dans le huis clos des réunions ministérielles mais savaient tenir leur langue en dehors. Le début du quinquennat est pour lui une immense surprise autant qu'une grande souffrance. Il n'arrive pas à admettre le « *manque de sens collectif* » de ses jeunes collègues, s'effraie de « *la dévaluation de la parole publique* », se demande comment le président peut tolérer cela. Parfois il ne résiste pas et monte en renfort pour recadrer tel ou tel trublion. Toutes les semaines, il a un entretien avec François Hollande et ne se prive pas de lui décrire avec tact comment les choses se passaient naguère, sous le double septennat mitterrandien.

Souvent ses collègues rient de lui car il a fâcheusement tendance à piquer des roupillons partout où il peut pour tenter de récupérer un minimum de sommeil entre deux avions. Malgré le poids des ans, il ne se plaint pas de sa vie de globe-trotter, savoure d'être devenu ministre des affaires étrangères, alors que sur la scène intérieure son camp vit un naufrage. En mars 2015, la Seine-Maritime, son ancien fief que l'on disait imprenable, a basculé à droite comme tant d'autres départements et avant eux d'autres villes. Le début du crépuscule. Et lui surnage dans ce monde « *chaotique* », où depuis le désengagement américain « *il n'y a plus un seul patron* ». Il jouit de l'incroyable position de la France qui, parce qu'elle dispose d'un siège au Conseil de sécurité et de l'arme nucléaire, est « *demandée* » et joue un « *rôle qu'elle a rarement eu* ». Mais il est réaliste.

En parcourant le monde, il a constaté de visu l'affaiblissement français, la perte de ses parts de marché, son déclin industriel. « *Si nous ne nous relevons pas sur le plan économique, rien de ce que je dis ne sera convaincant* », a-t-il coutume de répéter. C'est pourquoi il se pique aussi de diplomatie économique et se met en tête de faire venir les Chinois : « *1,2 million de touristes chinois qui dépensent 1 600 euros chacun ; leur nombre va augmenter ! il faut les faire venir* », s'enthousiasme-t-il – en piétinant allègrement les plates-bandes de ses collègues.

« *Le RER ! Il veut améliorer le RER pour faire venir les Chinois !* » s'indigne un jour Aurélie Filippetti, la ministre de la culture qui supporte de plus en plus mal l'expansionnisme de ce ministre rompu à la mondialisation qui joue au vieux sage et rapporte de chaque voyage son lot de maximes. « *Quand on est passé de l'âge de pierre à l'âge de bronze, ce n'est pas parce qu'on n'avait plus de pierre mais parce qu'on avait découvert le plomb !* » lance-t-il un jour. Celle-là c'est Lee Myung-bak, l'ancien président de la Corée du Sud, qui la lui a soufflée.

Souvent, Laurent Fabius s'inquiète : « *On nous demande partout, en Côte-d'Ivoire, au Rwanda, on ne peut pas être partout.* » Avec son humour pince-sans-rire, l'ancien premier ministre de François Mitterrand joue les modérateurs : *« Avec François Hollande c'est clair, en politique étrangère, notre objectif est d'expliquer que le Conseil de sécurité n'est pas uniquement composé par la France. »* Il lance des appels : *« Nous avons besoin de l'Europe avec nous, nous avons besoin de la communauté internationale. »* Et plus le quinquennat avance, plus lui et Jean-Yves Le Drian se font pressants pour que l'Europe prenne sa part du fardeau car la France fait la guerre sans en avoir les moyens, avec au-dessus de la tête le poids de la dette publique, près de 100 % de la richesse nationale, comme une épée de Damoclès.

Au fur et à mesure que les troupes sont sollicitées, les comptes deviennent de moins en moins sincères. Pour éviter les foudres de Bruxelles, il faut sans cesse maquiller, ruser. En 2013, le coût des opérations extérieures est budgété à 630 millions d'euros, l'addition réelle dépasse les 1,2 milliard, soit un écart de 570 millions d'euros. Un an plus tard, le chiffre annoncé est de 450 millions d'euros, le coût réel atteint 1,1 milliard, soit un surcoût de 650 millions d'euros qu'il faut éponger à coups d'économies de dernière minute dans le budget de la défense et dans ceux des autres ministères.

En 2015, la crise de financement monte d'un cran : cette fois, il faut trouver une astuce pour financer les équipements qui avaient été prévus dans la loi de programmation militaire. La Défense en est budgétairement incapable. Elle n'a plus un sou, les 2 milliards d'euros de recettes exceptionnelles sur lesquels le ministère tablait en vendant des fréquences hertziennes manquent à l'appel. Un système de leasing est alors envisagé : l'État achètera des frégates et des avions de transport pour les revendre aussitôt à une société spécialement créée pour l'occasion qui les lui relouera immédiatement. La Défense pousse à fond, soutenue par Emmanuel Macron, le nouveau ministre de l'économie qui fait voter une disposition ad hoc dans son projet de loi, mais les opposants bloquent et obtiennent gain de cause : « *Une usine à gaz* », grogne Pierre de Villiers. « *Trop coûteux et en plus ça grève un peu plus la dette publique* », affirme de son côté le ministère du budget. Mais la question subsiste : d'où viendra l'argent ?

Vue des coulisses, toute cette séquence guerrière au cours de laquelle la France joue à la grande puissance n'est qu'une succession de bras de fer entre l'état-major et les politiques, entre le ministre de la défense et Bercy pour arracher le moindre euro et pour cause : le système craque de partout. Parce qu'elle s'appelle « *la grande muette* », l'armée a été depuis 2009 la cible privilégiée des économies budgétaires. En 2008, Nicolas Sarkozy a programmé la suppression de 54 000 postes sur la période 2008-2015. À peine élu, François Hollande en décide 34 000 autres sur la programmation 2014-2019 tout en acceptant de « sanctuariser » le budget à 31,4 milliards par an. C'était le deal de départ avec Jean-Yves Le Drian, mais vu l'état des finances publiques, mieux vaut garder l'œil ouvert.

Un an plus tard, on est à deux doigts de la crise de régime, la grande muette craque. Au terme d'une rencontre au sommet, le général Denis Mercier, chef d'état-major de l'armée de l'air, le général Bertrand

Ract-Madoux, chef d'état-major de l'armée de terre, et l'amiral Bernard Rogel, chef d'état-major de la marine, menacent de rendre leur tablier. Une rébellion, une vraie. Bercy a repris ses ciseaux, Bercy veut revoir à la baisse la loi de programmation militaire. Des chiffres alarmistes circulent, complaisamment relayés par l'opposition : le budget de la défense pourrait être amputé de 1,5 à 2 milliards d'euros par an. *« Ce sera sans moi »*, avertit Le Drian qui vient juste d'achever une tournée des popotes pour convaincre les militaires qu'ils pourront faire aussi bien qu'avant mais avec moins. Il obtient gain de cause.

Tout cela est irréaliste, intenable : les mêmes qui clament que *« la France est entrée en guerre contre le terrorisme »* ne peuvent pas avoir programmé la perte, en dix ans, de 82 000 hommes, soit 25 % des effectifs militaires ! Le 11 mars 2015, alors que le pays est encore sous le choc des attentats de janvier et que 10 000 militaires sont chargés en France de protéger les sites sensibles pour un coût estimé à 1 million d'euros par jour, le ministre de la défense en prend acte. Tout est remis sur la table : la décrue des effectifs et la loi de programmation militaire. Un mois et demi plus tard, l'Élysée rend son arbitrage : sur les 34 000 postes menacés, 18 500 sont préservés, Bercy débloque les 2 milliards de crédit qui manquaient en 2015, le budget de la défense obtient en outre une rallonge de 3,8 milliards d'euros sur la période 2016-2019. *« J'ai fait ce choix parce que c'est celui de la France, de sa protection, de sa sécurité »*, explique, martial, le président de la République qui n'a pas un sou pour financer la rallonge et reporte au-delà de la fin du quinquennat l'essentiel de la charge. *« Soit il ne sera plus là, soit la croissance lui sera venue sérieusement en aide »*, ironise un expert militaire. Quant à demander aux ministères civils des économies équivalentes, cela n'a même pas été envisagé. On toucherait à l'os et la gauche, paraît-il, ne s'en remettrait pas ! Ce que Manuel Valls résume d'un martial : *« Hors de question de casser la France. »*

Turgot, l'homme que Louis XVI avait installé aux finances pour redresser la France, n'aimait pas la guerre. Il craignait qu'avec elle *« le pays éternise ses faiblesses »*. Il avait déconseillé au roi de se lancer dans la très populaire guerre des Amériques. Il avait vu juste. Au moment même où aux yeux de ses sujets, Louis XVI devenait enfin roi en contribuant à libérer les insurgés américains du joug britannique, les finances du royaume plongeaient. À l'instant même où l'opinion publique, enthousiaste, tenait sa revanche sur la perfide Albion et saluait l'avènement des États-Unis, le roi signait sa perte en déclenchant l'ultime crise des finances publiques qui allait finalement provoquer la Révolution.

Mais ce n'est pas cette partie-là de l'histoire que les Français retiennent. Eux n'ont d'yeux que pour l'*Hermione*, la superbe réplique du trois-mâts sur lequel le jeune La Fayette avait vogué en 1780 jusqu'à Boston pour annoncer au général Washington la bonne nouvelle : Tenez bon, les renforts français arrivent ! Au terme de dix-sept ans de travaux dans le port de Rochefort, le somptueux navire a appareillé le 18 avril 2015 pour les États-Unis. François Hollande était là, au côté de Ségolène Royal, pour fêter l'événement. L'ex-reine de Poitou-Charentes avait mis toute son influence et ses crédits dans l'aventure. La grandeur française n'a pas de prix.

VII.

Mutter Merkel reste la plus forte

Trois ans après l'avènement de Louis XVI, l'impératrice Marie-Thérèse, celle qu'on appelle « la Grande », celle qui se bat sans répit pour asseoir l'hégémonie du Saint Empire romain germanique, envoie son fils Joseph II en France. Étrange équipée. Le futur empereur traverse la frontière incognito, voyage en petit équipage, choisit des hôtels modestes où il s'inscrit sous le nom de « comte de Falkenstein ». Sa mission est délicate. Il est là pour comprendre pourquoi le mariage de sa sœur Marie-Antoinette avec le roi de France n'a toujours pas été consommé. Des rapports d'ambassade ont sonné l'alarme. Marie-Thérèse veut tirer les choses au clair. Elle a besoin que le couple fonctionne pour dicter à sa fille les orientations qu'elle souhaite imprimer à la politique française. Ennemis héréditaires, les deux pays sont devenus alliés, mais Marie-Thérèse veut absolument que l'alliance tourne à son avantage. D'où l'importance de la mission confiée à son fils qui se révèle couronnée de succès. Après avoir confessé Louis XVI et Marie-Antoinette, Joseph II laisse de sévères instructions à

79

sa sœur : « *Plus de gloriole, de froideur, plus de lit à part, de parties nocturnes, de jeux, de frivolité, de "saloperies" lues dans les romans sentimentaux.* » Et quelques mois plus tard, la reine est enceinte.

Aujourd'hui, la diplomatie ne passe plus par les alliances matrimoniales et les secrets d'alcôve. Elle se déroule au grand jour, mais ce n'est pas forcément plus flatteur. Sitôt investi, François Hollande a filé à Berlin, comme son prédécesseur. Mais à peine le Falcon présidentiel a-t-il décollé de Villacoublay qu'un coup de foudre le force au repli. Ruse des dieux ou fâcheux présage ? Les commentateurs se perdent en conjectures. Lui arrive à son rendez-vous avec près de deux heures de retard. Il n'a jamais rencontré la femme la plus puissante d'Europe, et comme il ignore tout du protocole, c'est elle qui le guide sur le tapis rouge qui le mène à la Chancellerie. La scène, filmée par les caméras de télévision, est un vrai gag. Angela Merkel commence par donner un léger coup d'épaule à François Hollande puis lui pointe un doigt dans le dos pour finalement le tirer par la manche. Devant la Bundeswehr venue rendre les honneurs militaires, le président français a tout du gamin facétieux au côté de Maman Merkel, Mutter Merkel qui, malgré son sourire bienveillant, ne prend pas de gants pour le recadrer.

Le dîner, le soir, est tout à l'avenant. La chancelière qui se veut aimable précise que le chef cuisinier a fait un stage de six mois à l'Élysée. Au premier coup de fourchette, la délégation française se rend compte que six mois de plus n'auraient pas été du luxe. Ce n'est pourtant pas du bizutage : lorsque les vins sont servis, Angela, en parfaite maîtresse de maison, recommande vivement à ses invités la cuvée française plutôt que l'allemande. Celle-ci est paraît-il imbuvable. Franche et directe, la chancelière.

Signe de l'affaiblissement français, le voyage à Berlin est devenu un exercice incontournable pour les présidents nouvellement investis. Officiellement, on y célèbre l'amitié franco-allemande sans laquelle rien ne serait possible en Europe. Officieusement, tout est biaisé par le déséquilibre du couple. Depuis la réunification, l'Allemagne est devenue beaucoup plus forte que nous et cela oblige les dirigeants français à une ruse pas très digne : profiter du bouclier allemand pour rassurer les marchés sans pour autant adhérer à la rigueur germanique pour ne pas décourager le peuple !

Prince de l'ambiguïté, François Hollande a joué sur les deux tableaux à la fois pendant la campagne. Pour bétonner sa gauche, il a promis, dès son élection, une « *renégociation* » du traité de stabilité budgétaire signé par Nicolas Sarkozy en pleine crise de l'euro. Mais pour rallier le centre, il s'est voulu le plus sérieux des candidats, clamant que pour restaurer sa souveraineté la France devra mettre de l'ordre dans ses finances. Et il a poussé très loin les engagements : son projet consistait à faire tomber le déficit public de 4,8 % à 3 % de la richesse nationale dès 2013, soit un effort de 37 milliards d'euros en un an, ce qui est vraiment beaucoup. Martine Aubry, sa grande rivale à la primaire, s'était montrée bien plus prudente et en tout cas plus réaliste en s'accordant deux ans de plus.

À Berlin, le nouvel élu doit dénouer le nœud. Pas simple. La gauche l'attend au tournant, exigeante, impatiente : « *Sortons du merkozysme* », a clamé, indigné, Arnaud Montebourg, à l'unisson des électeurs de Jean-Luc Mélenchon qui voient en Angela Merkel le parangon de « *l'ordolibéralisme allemand* », le suppôt d'une austérité teintée de moralisme : que ceux qui ont failli paient ! Et lui se retrouve face à une femme directe, carrée, à la fois bienveillante et intransigeante, sincèrement affligée par la faiblesse française et toute disposée à aider au redressement, mais à ses conditions. C'est tout le problème.

Pour mieux se faire comprendre, la chancelière, très pédagogue, a joint le geste à la parole : « *Il y a dix ans,* a-t-elle expliqué au président français, en rapprochant ses deux mains à l'horizontale, *l'Allemagne et la France étaient à égalité. Aujourd'hui, vous êtes là,* a-t-elle dit en baissant la main droite, *et l'Allemagne est là* », a-t-elle poursuivi en levant la main gauche. Angela Merkel répète à François Hollande ce qu'elle n'a cessé de dire à Nicolas Sarkozy pendant cinq ans : la France doit se redresser, devenir moins dépensière, plus sérieuse. C'est son intérêt, celui de l'Allemagne et celui de l'Europe tout entière. Confiante, elle en a rajouté : « *Vous y arriverez.* » Une vraie Mutter, cette chancelière.

François Hollande encaisse la leçon et sort de l'entretien relativement serein. Pourtant, il n'a pas obtenu la renégociation du traité. À vrai dire, il n'a même pas songé à la demander tant la zone euro est encore sous pression : la Grèce déjà est au bord de la faillite, les taux d'intérêt de l'Italie et de l'Espagne dépassent les 7 %, la France elle-même est sous étroite surveillance des marchés. *« Quelle est la position de la France sur la Grèce ? »* a demandé la chancelière au bout de cinq minutes d'entretien. La défendre bien sûr, éviter la sortie de l'euro. Donc, ne pas se mettre en position de faiblesse, jouer le jeu, accepter de ratifier le traité, promettre de réduire le déficit et d'engager des réformes. *« Je vais faire la réforme du marché du travail »*, assure le président français à la chancelière décidément très pressante. Et cela donnera le timide accord du 11 janvier 2013 : un peu plus de flexibilité en échange d'un peu plus de sécurité pour les salariés.

Trois années ont passé, François Hollande revendique pleinement son choix européen qui lui a pourtant fait perdre, d'entrée de jeu, une partie de sa gauche et suscité d'éprouvantes tensions au sein de son gouvernement : *« J'ai accepté le traité pour situer la France au cœur de l'Europe et non en marge »*, se défend-il. *« À gauche, on me dit : il fallait créer l'affrontement avec Merkel tout de suite. Qu'est-ce que ça aurait changé ? Je n'aurais obtenu aucun gain sur le plan budgétaire, j'aurais créé une déstabilisation dans la zone euro, j'aurais suscité une marginalisation de la France. »* Réaliste le président mais combattif aussi : pas question de tout passer à l'Allemagne sans réagir. Il accepte le traité mais se bat pour obtenir un codicille sur la croissance, prêt à forcer la main de la chancelière en allant, à peine rentré de Berlin, bétonner à Rome, une alliance avec l'Italien Mario Monti et l'Espagnol Mariano Rajoy. Eux aussi ont grandement besoin de carburant pour remettre leurs comptes à flots.

Au conseil européen des 28 et 29 juin 2012, l'optimisme du président français est au zénith : il a obtenu, dit-il à la cantonade, ce qu'il voulait ! Un plan de relance européen de 120 milliards d'euros qui, pense-t-il, va ramener la croissance et l'aider à tenir ses engagements sans trop de casse ! En réalité, un feu de paille. Moins d'un an plus tard, le gouvernement Ayrault s'en va négocier à Bruxelles un nouveau délai de deux ans pour ramener les déficits à 3 %. La France ne sera donc jamais sérieuse.

Entre la chancelière fourmi et le président cigale, la partie d'échecs ne fait que commencer. Elle démarre brutalement lorsque, au cœur de l'été 2012, Paris soupçonne – déjà ! – Berlin de vouloir lâcher les Grecs. À l'époque, la crise est telle que Mario Draghi, le patron de la Banque centrale européenne (BCE) a promis de tout faire pour tordre le bras aux spéculateurs. Mais, avant de faire jouer l'arme monétaire, il lui faut un communiqué commun, signé des deux pays. L'Allemagne résiste autant qu'elle peut, à l'instar de sa chancelière partie se reposer dans les vertes montagnes du Tyrol.

Angela est difficilement joignable, ce qui veut tout dire : elle traîne des pieds. L'idée de faire marcher la planche à billets pour sauver la Grèce ne lui plaît pas du tout. Elle est contraire à tout ce à quoi aspire son pays depuis les sombres années de l'entre-deux-guerres marquées par l'hyperinflation et la montée d'Hitler. Mario Draghi insiste : pour calmer les marchés, il a besoin d'un appui politique clair, il lui faut un communiqué commun. François Hollande décroche son téléphone, se fait pressant, menace de publier un texte signé de lui seul si la chancelière n'obtempère pas. La mort dans l'âme, elle se rallie.

Le couple ne fonctionne pas. Hollande s'en rend compte, en souffre. Pour lui, la grande époque européenne remonte aux années Jospin, lorsque l'Europe était gouvernée par la gauche et que la bataille se jouait entre « vrais socialistes » et sociaux-libéraux. Treize ans plus tard, tout a changé. Il le réalise brusquement. La droite domine et là où restent des sociaux-démocrates, ils sont devenus de vrais sociaux-libéraux : « *La Finlande, la Suède tiennent des propos très durs sur la dépense publique, ils se sont convertis à une économie très ouverte et très compétitive* », s'étonne ce président resté trop longtemps enfermé dans sa bulle franco-française. Où trouver des alliés ? Au sud, bien sûr, mais l'Italie et l'Espagne sont bien trop faibles pour que la France puisse prétendre s'appuyer sur elles pour contrebalancer la toute-puissance teutonne. « *Jamais l'Allemagne n'a été aussi confiante dans sa force* », soupire un jour le président.

Du coup, c'est comme si la France avait perdu sa voix. Pour faire avancer l'union bancaire, étape pourtant décisive dans la consolidation de la zone euro, Pierre Moscovici a carte blanche. Pas une nuit, le ministre de l'économie et des finances n'aura à réveiller le président pour obtenir une consigne ou un feu vert. Dans les sommets européens, l'effacement de François Hollande surprend. Ainsi, lorsqu'en décembre 2012 Herman Van Rompuy, le président du Conseil européen, se bat pour tenter d'imposer un budget de la zone euro, il lui tend naturellement le micro. Il sait que le Trésor, l'une des grandes directions de Bercy, est à l'offensive sur le sujet, qu'il a pondu une note détaillée dans laquelle il défend l'idée de mutualiser certains impôts pour financer l'indemnisation du chômage en zone euro. Pierre Moscovici y est lui aussi favorable. *« Cela permettrait,* dit-il, *de donner une réalité à l'Europe sociale, tout en étant un outil puissant de stabilisation macroéconomique. »* Mais le président français passe son tour. Il n'a rien à dire. À quoi bon plaider ? Angela n'en veut pas.

Pas de doute, François Hollande fait un complexe. Ses amis ne le reconnaissent plus. Où est passé le disciple de Jacques Delors ? L'animateur du club Témoin ? Celui qui naguère militait pour une Constitution européenne et une fédération d'États-nations ? *« Il a une analyse trop pessimiste du rapport de force avec l'Allemagne. Il bat trop vite en retraite »*, s'alarme le député européen Daniel Cohn-Bendit. *« Parle, donne ta vision de l'Europe, prends les Français à témoin »*, le presse Jean-Marc Ayrault, le plus germanophile du gouvernement. *« Avec l'Allemagne, il faut être constructif,* insiste le premier ministre, *il faut faire des propositions en cohérence avec le choix qu'on a fait d'être dans la construction européenne. »* Mais non, le président est bloqué par la perspective du vote qui doit intervenir au Parlement sur le Traité constitutionnel. Il n'est pas tranquille. Il ne veut rien dire qui puisse hérisser un peu plus la gauche, alors qu'à l'Assemblée nationale Claude Bartolone, le quatrième personnage de l'État, apprécie si peu la chancelière qu'il appellera bientôt à une « *confrontation* » avec l'Allemagne.

En octobre 2012, le texte est enfin ratifié, non sans mal. Au palais Bourbon, les communistes ont voté contre, les Verts se sont divisés, 20 députés socialistes ont fait sécession, embryon de la fronde qui ne cessera de s'amplifier au cours des deux années suivantes, mais enfin l'épreuve est passée et François Hollande se sent un peu plus libre. Pour préparer la deuxième conférence de presse de son quinquennat prévue le 16 mai 2013, le président a relu les onze discours de François Mitterrand sur l'Europe pour aussitôt se convaincre que même son illustre prédécesseur, si engagé sur la scène européenne, s'était bien gardé de donner une quelconque vision de long terme. Il s'en tient donc au très court terme, plaide pour un gouvernement économique de la zone euro, réclame un plan pour l'insertion des jeunes, milite pour une communauté européenne de l'énergie, appelle à une nouvelle étape d'intégration dans laquelle la zone euro se verrait dotée d'une capacité budgétaire propre et du pouvoir de lever l'emprunt. Flop assuré.

La chancelière tend l'oreille mais se garde de dire banco. Elle veut des gages, du sérieux, n'a pas son compte. Et pour cause : la France continue de n'en faire qu'à sa tête. Le soufflé retombe et il faudra attendre trois ans pour qu'une vision beaucoup plus offensive et politique soit enfin exprimée. Mais ce n'est pas le président qui la porte, c'est son ancien conseiller Emmanuel Macron, devenu ministre de l'économie, qui, dans *Le Journal du Dimanche*, le

31 mai 2015, se prononce en faveur d'une Europe à deux vitesses, avec en son centre une zone euro plus solidaire et plus intégrée qu'aujourd'hui. Macron précise qu'il s'exprime en son nom personnel sur « *un sujet générationnel* », ce qui est une façon toute diplomatique de signifier que rien de significatif ne se jouera sous ce quinquennat. Le rejet de l'Europe et la méfiance à l'égard de l'Allemagne imprègnent trop la gauche et le pays tout entier.

« *François est un grand brûlé du référendum de 2005* », décrypte un ministre de ses amis. Sept ans ont beau avoir passé, jamais il n'oubliera. À l'époque, il est premier secrétaire du Parti socialiste et songe évidemment à la présidentielle, mais il est encombré de Laurent Fabius qui juge son tour venu. L'Europe va les départager. À l'Élysée, Jacques Chirac a choisi le référendum pour tenter de faire adopter le Traité constitutionnel européen qui, rédigé sous la houlette de Valéry Giscard d'Estaing, ne déchaîne pas l'enthousiasme des foules, c'est le moins qu'on puisse dire. Européen dans l'âme, François Hollande se range sans hésitation dans le camp du oui. Européen sceptique, Laurent Fabius opte pour le non dans le but d'incarner l'opposition à Jacques Chirac. Le premier secrétaire gagne la première manche en obtenant 59 % des suffrages au référendum interne qu'il a organisé au PS. Mais au référendum national, c'est le non qui l'emporte à 55 %. Un désastre ! Pendant neuf longs mois, la gauche s'est déchirée et plus que cela : elle s'est coupée en deux, des pans entiers du Parti socialiste sont entrés en rébellion derrière Laurent Fabius et plus encore Jean-Luc Mélenchon qui a su galvaniser les troupes et réalise tout d'un coup qu'un destin présidentiel est peut-être en train de s'ouvrir. L'autorité de François Hollande, elle, a été tellement atteinte que deux ans plus tard le premier secrétaire se retrouve dans l'incapacité de se porter candidat à la présidentielle. C'est à ce moment-là que l'Europe est devenue un problème pour lui. Depuis, il peine à s'exposer.

« Face à Angela Merkel, il est comme un petit garçon », s'étonnent plusieurs témoins du tout début du quinquennat. C'est que le président français a beau l'observer, il n'a pas trouvé la faille de cette physicienne venue de l'Est qui, en trois mandats, a réussi à asseoir son leadership sur l'Europe. Nicolas Sarkozy la bousculait en moquant sa lenteur, mais à la fin des fins, il n'avait pas eu d'autre solution que de se ranger sous sa protection. Lui n'a été brutal qu'une fois, à l'été 2012, pour sauver la Grèce. Ensuite, il a compris qu'il était contre-productif de jouer la France contre l'Allemagne. Il a choisi le rapprochement. *« Elle est analytique. Elle veut comprendre. Pour dealer avec elle, il faut d'abord la rassurer »*, lui a conseillé l'ancien Commissaire européen Pascal Lamy qui la connaît très bien.

Les relations se réchauffent un peu en janvier 2013 à l'occasion de l'anniversaire du traité d'amitié franco-allemand. Elles se détendent nettement en décembre de la même année, une fois les élections allemandes passées. En mai 2014, Angela Merkel a la bonne idée de recevoir son partenaire chez elle, sur les rives de la mer Baltique, entre Stralsund et l'île de Rügen, là où elle règne sans interruption depuis vingt-cinq ans. À partir de là, le président français a beaucoup mieux cerné sa « chère Angela », qu'il tutoie et avec laquelle il s'entretient quotidiennement. Par certains côtés, ils se ressemblent : rationnels, sans emphase, tactiques, mais elle bien plus puissante que lui car sachant exactement ce qu'elle veut, connaissant tout le monde, décrochant son téléphone très en amont des sommets pour nouer des deals. Toujours un coup d'avance. Trop forte. Et lui trop faible, alors il fait le gros dos en attendant le moment où il pourra peut-être reprendre la main.

Au début de l'année 2015, le rééquilibrage est manifeste et c'est une photo qui le montre, aussi poignante que la poignée de main entre Helmut Kohl et François Mitterrand. Le 11 janvier 2015, alors que le monde entier communie à Paris dans le rejet du terrorisme, la chancelière allemande abandonne quelques instants sa tête sur l'épaule du président français. Rien ne l'y obligeait, hormis l'accumulation des périls qui rend le couple franco-allemand insécable sinon adieu l'Europe ! Cinq menaces simultanées : le terrorisme, la montée du populisme, la forte poussée de l'extrême droite en France, les bruits de bottes à la frontière orientale de l'Europe et les tensions persistantes au sein de la zone euro ont eu raison des préventions de départ. Quelques jours plus tard, on les voit, décidément inséparables, passer une nuit blanche pour tenter d'arracher au président russe Vladimir Poutine et à son homologue ukrainien, Petro Porochenko, une fragile paix en Ukraine. *« Poutine ne voulait pas entendre parler des États-Unis. Merkel ne pouvait pas se retrouver seule face à la Russie, c'est comme cela que la France s'est imposée à Minsk »*, décrypte un ministre influent. Hollande ou l'art de savoir saisir la perche.

Là encore, Nicolas Sarkozy a servi de contre-modèle : pas de fanfaronnade, encore moins de bras de fer, mais un patient travail de rafistolage, loin des caméras, des bouts de tissus européens recousus par un dialogue obstiné, et la quête incessante d'alliés qui ne sont pas toujours ceux auxquels on pense. Alors qu'aux élections européennes les socialistes et les sociaux-démocrates soutenaient l'Allemand Martin Schulz, c'est son rival de droite, le démocrate-chrétien luxembourgeois Jean-Claude Juncker, que François Hollande aide à faire élire, sans états d'âme, président de la Commission européenne, contre l'avis du Britannique David Cameron. Juncker, c'est l'homme dont Nicolas Sarkozy n'avait pas voulu pour la présidence du Conseil européen en 2009. Rien que cela vaut caution mais il y a plus : François Hollande connaît l'homme depuis longtemps et l'apprécie. Avec lui, il est possible de parler de croissance et d'investissement. L'obsession du mandat.

La réalité cependant est cruelle : plus que jamais Angela domine. Elle est impératrice d'Europe. La chancelière le démontre de façon éclatante le 13 juillet 2015 en dictant à la Grèce les conditions de son maintien dans la zone euro, alors qu'Alexis Tsipras, son leader populiste, croyait avoir joué au plus fin en remportant, à la barbe des créanciers, son référendum anti-austérité. Au passage, la chancelière s'offre le luxe de conforter François Hollande qui avait lutté

91

sans relâche contre le Grexit, en appelant à être « au rendez-vous de l'Europe ». Elle sauve du même coup le couple franco-allemand mais personne n'est dupe : le jeu subtil que le président français avait déployé depuis janvier pour tenter de se mettre au centre du jeu, conseillant d'un côté Alexis Tsipras, discutant de l'autre avec Angela Merkel, aura peu compté, sauf vis-à-vis de sa gauche qui lui concède de n'avoir pas voulu étrangler le peuple grec. Et encore...

Mis à la porte du gouvernement en août 2015 pour insubordination chronique, Arnaud Montebourg reste, avec Jean-Luc Mélenchon, le procureur le plus implacable de la politique européenne de François Hollande. Le couple franco-allemand ? *« Une chimère, jamais Merkel ne fait de concession »*, tonne l'ancien ministre. Et pourtant si : en février 2015 pour la deuxième fois du quinquennat, François Hollande a obtenu de Bruxelles un nouveau délai pour réduire les déficits. La chancelière a fermé les yeux *« parce que c'est la France »*. François Hollande s'est réjoui comme l'avaient fait avant lui Nicolas Sarkozy et Jacques Chirac.

Pendant ce temps, l'écart franco-allemand continue de se creuser en termes de déficit, de croissance et d'emplois. Mutter Merkel peut bien être conciliante, elle sort toujours gagnante !

VIII.

La fronde

À Paris, le triangle d'or est en ébullition : François Hollande a osé, il l'a faite ! La taxe à 75 % trône au milieu des mesures fiscales du projet de loi de finances pour 2013 comme une énorme provocation. Chose promise, chose due. Le président a veillé personnellement à ce que la mesure soit retranscrite telle qu'il l'avait décrite pendant la campagne, avec tout ce qu'elle comporte d'excès et de provocation.

Chez Laurent, la très chic cantine du CAC 40, les attablés secouent la tête, consternés. Ces socialistes ne comprendront donc jamais rien à l'économie de marché ! Ce n'est pourtant pas faute de les avoir alertés. « *Tout le monde va partir* », a lâché, froid comme un glaçon, Bernard Arnault, la première fortune de France, au ministre de l'économie Pierre Moscovici venu plaider la cause du gouvernement lors d'un dîner d'Entreprise et Progrès, l'un des cercles patronaux influents. Août 2012 cette fois, c'est François Hollande en personne qui s'y colle. Il a convié à déjeuner, au palais, des représentants de l'Afep, l'association qui rassemble les plus grands groupes privés exerçant leur activité en France, un cénacle encore plus puissant – et plus secret – que le Medef. Quelques jours plus tôt, affolée, Laurence Parisot a sonné l'alarme : « *Il faut que tu les voies* », lui a-t-elle lancé. Entre la patronne du Medef et le président socialiste, les relations sont fluides et directes. Ils se tutoient depuis l'époque où elle dirigeait l'Ifop et produisait des sondages. Le couple Hollande-Royal en raffolait.

L'Afep que s'apprête à rencontrer François Hollande a toujours fait figure d'épouvantail aux yeux d'une partie de la gauche : « *Un univers hors sol, l'enceinte du toujours plus* », affirment ses détracteurs qui voient dans cet aréopage de patrons mondialisés une insulte au principe d'égalité à cause des sommes vertigineuses que représentent leurs bonus, stock-options et autres retraites chapeaux. L'association n'est cependant plus exactement celle qu'avait connue Nicolas Sarkozy et qui avait milité avec tant de zèle en faveur du bouclier fiscal et de la suppression de l'impôt sur la fortune. La crise est passée par là. L'état d'esprit n'est plus exactement le même, en témoigne la révolution de palais qui vient de s'y produire. Le très libéral Maurice Lévy qui la présidait a dû jeter l'éponge suite à l'émoi suscité par la révélation de sa rémunération chez Publicis : 16 millions d'euros, un rien exorbitant par temps de crise. C'est désormais Pierre Pringuet, un dirigeant discret, qui le remplace. Le patron de Pernod Ricard n'est certes pas un intime des socialistes, mais il a été conseiller de Michel Rocard dans les années 1980. Avec lui, le dialogue est possible.

L'occasion, cependant, est manquée. De l'entrée au dessert, l'ambiance du déjeuner, sous les ors élyséens, est à couper au couteau. Certes, François Hollande écoute chacun de ses interlocuteurs avec une grande urbanité et beaucoup d'attention. Selon son habitude, le président prend des notes mais *« lorsque l'affaire des 75 % vient sur le tapis, il suspend son stylo, son visage se ferme »*, rapporte un participant. Ses interlocuteurs ont compris. François Hollande ne renoncera pas à sa fichue taxe. À vrai dire, il n'a aucun état d'âme à jouer le peuple contre les riches. Il fait comme François Mitterrand, d'abord on taxe, ensuite on discute. *« Ce sera quelque chose d'exceptionnel, de patriotique, une contribution au redressement des comptes publics, ça concerne 2 000 personnes »*, justifie à l'époque son premier ministre Jean-Marc Ayrault.

À Neuilly et dans les riches demeures des quartiers ouest de la capitale, les valises se bouclent, les malles s'empilent devant les perrons. C'est l'exil. Combien sont-ils ? On ne le saura jamais précisément. *« Il est aujourd'hui impossible de disposer de données consolidées en provenance des professionnels concernés par l'exil fiscal »*, indique un rapport d'enquête parlementaire rendu public en octobre 2014. Psychologiquement, ce manque de chiffres précis n'en est que plus dangereux. Dans les dîners entre happy few, on ne parle en effet que de ça : des comités de direction qui explosent, des jeunes qui partent à l'étranger, des entreprises qu'on liquide, des sièges sociaux qui se déportent à Londres. On admet que ce n'est pas nouveau : le mouvement avait commencé la dernière année du quinquennat Sarkozy lorsque, rompant avec sa promesse, l'ex-président avait laissé son premier ministre François Fillon surtaxer les hauts revenus. Mais là, c'est la révolte ! La taxe à 75 % est l'impôt de trop, celui qui dit explicitement aux gros porte-feuilles : « Barrez-vous. » Combinée à la malencontreuse taxation des plus-values mobilières qui suscite la révolte des « pigeons », elle donne le sentiment que la France n'est décidément pas l'endroit idéal pour investir et s'enrichir. Bye bye Paris, direction Londres, la Belgique, la Suisse ou les États-Unis.

Trois ans plus tard, le même François Hollande n'en finit pas de faire le tour du monde pour les faire revenir ! Le président français qui détestait naguère franchir les frontières est devenu le meilleur VRP de la maison France. Il n'a plus d'états d'âme, il ne ménage pas sa peine, il fait du gringue au président chinois Xi Jinping, fait un détour par Shanghai pour rencontrer Jack Ma, le roi du e-commerce chinois, un ancien prof d'anglais devenu milliardaire grâce à son site Alibaba. Un jour, on l'aperçoit en Australie, un autre dans la Silicon Valley, et le charme finit par opérer. Un beau matin de février 2015, John Chambers, le patron de CISCO System, le numéro un mondial des équipements de réseau, lève la fatwa des ultrariches en proclamant : « *La France est en train de basculer, il est temps d'investir.* »

Il était temps car les chiffres commençaient à faire peur : en 2013, les investissements directs étrangers en France ont chuté de 77 %. Sans eux, pas de croissance. Le président français l'a enfin compris, il a fait sa révolution. Avec lui, les séquences s'enchaînent sans cohérence. Normal, il a fallu qu'il apprenne et qu'avec lui le pays vive un de ces psychodrames dont il a le secret pour expurger sa haine des riches. Heureusement, Depardieu était là !

Le palais dort ce mardi 1er janvier 2013 lorsque le téléphone retentit une première fois, puis une seconde et qu'une voix annonce : « *C'est Gérard Depardieu, je voudrais parler au président Hollande !* » Le permanencier qui croit à une mauvaise farce prend son temps pour vérifier. Ce n'est qu'en fin de journée que François Hollande entre en communication avec l'acteur. L'explication a beau être longue, elle ne sert à rien. Tout en colère et en meurtrissures, l'énorme Gégé a trouvé un rôle à sa démesure. Il vient de s'ériger en victime surmédiatisée de la taxe à 75 %. Il est indigné, meurtri, choqué qu'on ait pu le désigner à la vindicte populaire, le traiter de mauvais citoyen, lui qui fut tour à tour et avec un talent fou Cyrano, Danton, Monte-Cristo, parce qu'il vient de s'offrir à Néchin (Belgique) au 90, rue de la Reine-Astrid, à cent mètres de la frontière franco-belge, une triste maison de brique rouge qui va lui servir de résidence. À 64 ans, l'acteur refuse d'« *être tondu* », il ne voit pas pourquoi il paierait « *87 % d'impôt* », lui qui calcule « *avoir donné à l'État français 150 millions d'euros depuis qu'il travaille* ». Il s'en va parce qu'il ne comprend pas cette haine de l'argent qui s'est emparée du pays.

L'affaire Depardieu est lancée. La presse s'en régale. Tout ce que possède l'acteur est déballé sur la place publique : son somptueux hôtel particulier germanopratin, la pierre, les vignes, les restaurants, les petits commerces, les œuvres d'art dans lesquelles il a investi, la quinzaine de sociétés qu'il possède en France et qui font vivre près de cent personnes, son train de vie, ses bleus à l'âme, son goût pour les voyages, son tropisme russe qui le conduit, ultime provocation, à accepter le passeport que lui propose Poutine. Au peuple de juger ! Le verdict tombe : 40 % approuvent son exil fiscal, 35 % se disent choqués, indique un sondage Ifop publié par *Le Figaro*. La France est coupée en deux. François Hollande, lui, est embarrassé.

« *N'en rajoutez pas !* » a ordonné le président à ses ministres lorsque l'affaire a éclaté. Trop tard ! Michel Sapin est lancé. Le ministre du travail est un cousin éloigné de l'acteur. Il cogne fort, osant, sans la moindre pudeur, évoquer une « *forme de déchéance personnelle* » avant de s'adoucir et tout mielleux de lancer : « *Gérard, tu vas t'ennuyer, tu es beaucoup mieux dans tes vignes !* » Mais le plus offensif, c'est Jean-Marc Ayrault. Le premier ministre est sincèrement choqué, révolté même qu'Obélix déserte. Au moment où le pays cherche à se redresser, l'exil fiscal du comédien relève de l'acte antipatriotique, de la désertion par temps de guerre. Voilà ce qu'il pense et il ne cherche pas à masquer sa colère. En public, il qualifie l'attitude de Depardieu d'« *assez minable* » sans réaliser que pour l'acteur ce « *minable* » est une insulte, une gifle personnelle, la négation de sa fulgurante ascension, le retour aux origines lorsqu'il était le fils du « Dédé » et de « la Lilette », illettré, inculte. « *Ce gros connard d'Ayrault !* » fulmine encore l'acteur quelques mois plus tard devant l'écrivain Lionel Duroy qui l'aide à accoucher de ses Mémoires.

Pendant ce temps, la taxe à 75 % meurt de sa belle mort. Le Conseil constitutionnel, remettant un peu de raison dans une affaire qui en manquait sérieusement, l'a censurée, la jugeant « *contraire au principe d'égalité devant les charges publiques* ». François Hollande encaisse le coup : « *Le camouflet est pour le président de la République* », soupire-t-il devant quelques proches. « *Laisse tomber cette taxe* », lui conseille son ami François Rebsamen qui n'a jamais été un grand fan des effets de manches. Mais non, pas question, la politique prime ! « *Aurais-je été élu sans les 75 % ?* » s'interroge souvent François Hollande, qui n'est pas encore prêt à abandonner son fétiche. Le voilà donc qui relève l'affront, promet derechef une nouvelle mouture, mais en réalité laisse son ministre du budget Jérôme Cahuzac qui n'a jamais digéré cet impôt confiscatoire – et pour cause – fabriquer un succédané qui n'a plus rien à voir avec l'original.

Au lieu de frapper directement les riches, la taxe sera acquittée par les sociétés à très gros salaires. Premiers visés, les clubs de foot s'en vont aussitôt négocier un plafond et cessent de geindre. Au bout de deux ans, la taxe s'éteint. Bilan du psychodrame : le président est décillé. « *C'est très différent de ce qui se passait en 1981. À l'époque, l'argent n'était pas tout à fait légitime. Le libéralisme a changé tout cela. Les riches n'ont plus mauvaise conscience* », soupire-t-il, un rien désabusé, devant le journaliste Laurent Joffrin. Et en plus ils gagnent ! Car au même moment, le patronat obtient de lui ce que Nicolas Sarkozy n'avait osé lui consentir : l'amorce d'un *« pacte de compétitivité »* qui ne cessera de s'amplifier au fil des mois pour représenter en fin de quinquennat plus de 40 milliards d'euros sous forme de crédit d'impôt et d'allègement de charges sociales. Du jamais-vu !

Le socialisme de l'offre vient de naître dans le brouillard le plus complet. Il ne tombe pas complètement du ciel : Dominique Strauss-Kahn l'avait théorisé dans les années 2000 en prenant acte de l'épuisement de l'État-providence. Avant de distribuer, l'ancien ministre de l'économie de Lionel Jospin avait recommandé à la gauche de s'intéresser d'abord à la production, ce qui était somme toute assez logique, mais au lieu de reprendre la théorie comme l'aboutissement d'une heureuse révolution, François Hollande procède par tâtonnements, paniqué à l'idée de perdre sa gauche.

L'ancien élève de HEC qu'il est n'a pourtant pas tardé à comprendre ce que Henri de Castries, Paul Hermelin, François Pinault et les amis qu'il a dans la finance et l'industrie lui ont répété sur tous les tons : il doit redresser les taux de marge des entreprises et vite, il n'a plus le choix. Mais le politique ne désarme pas. Il veut pouvoir jouer sur tous les tableaux à la fois : taxer le capital et sauver l'industrie, punir la finance et attirer l'investissement, bousculer les patrons et baisser leurs charges ! Bercy avait été construit pour ça : Montebourg les faisait filer doux, ensuite Moscovici discutait, mais le premier a rapidement pris le dessus sur le second. *« On ne vous a pas entendus pendant dix ans, vous étiez au Fouquet's avec*

Nicolas Sarkozy et aujourd'hui vous nous faites un procès permanent ! » lance l'agressif ministre du redressement productif aux rares patrons qui s'aventurent encore dans son bureau. C'est pourtant le même Montebourg qui, en avocat convaincu du made in France, fera tout pour que le pacte de compétitivité voie le jour. Comprenne qui pourra. En Hollandie, rien n'est lisible, tout dérape, tout va trop loin, comme une mauvaise farce, le président est pris à son propre piège, sauvé de justesse par un tout jeune conseiller de 35 ans, Emmanuel Macron, qui n'en demandait pas tant. Vive la jeunesse !

À l'Élysée, c'est dans le bureau de ce jeune ambitieux décrit comme *« charmant et charmeur »* que se réfugient les patrons effondrés durant ce sombre automne 2012 où François Hollande patauge gravement. Le poulain de Jacques Attali est devenu secrétaire général adjoint de l'Élysée. Nicole Bricq, la ministre du commerce extérieur qui le regarde faire, l'a surnommé *« la petite Ferrari »* et cela veut tout dire car l'ex-banquier de chez Rothschild, au carnet d'adresses bien rempli, est en train de prendre un ascendant considérable au château. Ce social-libéral n'a pas d'états d'âme ni de doutes : pour redresser l'industrie, il faut un choc de compétitivité, et pour financer ce choc, il faut en passer par des économies budgétaires. Le vilain mot ! Mais lui au moins est lucide et tous ceux qui dans les milieux d'affaires désespèrent de François Hollande se raccrochent à son nom : Macron ! Le jeune conseiller enregistre les doléances, rassure, démine, prépare l'accouchement.

Tout évidemment est extrêmement laborieux. Il a d'abord fallu commander un rapport pour connaître l'étendue des dégâts. Louis Gallois s'en est chargé. C'est un ami du président et la gauche le respecte, mais lorsque après avoir dressé le constat implacable de l'affaiblissement industriel français, l'ancien patron de la SNCF prône un choc immédiat de compétitivité d'au moins 30 milliards d'euros, financé par de la TVA ou de la CSG, le président s'affole et déclare : « *On ne fera pas 30 milliards d'euros d'un coup, ce serait trop dépressif pour le pouvoir d'achat.* »

Suivent plusieurs jours d'incertitude où il ne se passe rien ou plutôt si : un flot de rumeurs sort des soutes de l'Élysée comme autant de ballons d'essai, typiques de la méthode Hollande : CSG ? TVA ? Avant de se lancer, tâter prudemment l'eau. La TVA n'a jamais eu bonne presse à gauche et en plus Nicolas Sarkozy l'a proposée pendant la campagne. Exit donc. La CSG ? Aucun syndicat n'est prêt à assumer sa hausse pour financer des allègements de charges patronales. La CFDT préfère la garder pour combler le déficit des retraites. Du côté de la majorité, ça bloque aussi. Des « *cadeaux aux patrons* » financés par l'impôt du peuple ? Jamais.

Un moment, l'affaire paraît gravement compromise au point que les P-DG des 98 plus grandes entreprises françaises n'y tiennent plus. Ils prennent la plume et cosignent une tribune dans *Le Journal du Dimanche* qui a tout d'un ultimatum : « *Avec une dépense publique record de 56 % du PIB, nous sommes arrivés au bout de ce qui est supportable* », écrivent-ils en exigeant que « *le choc »* arrive vite. Le message est limpide : faites des économies et annoncez la baisse de charges !

Le CICE est né, un sigle de plus dans la longue histoire des aides aux entreprises. Il ne porte pas le nom d'allègement de charges, beaucoup trop connoté pour la gauche. Il se nomme *« crédit d'impôt pour la compétitivité et l'emploi ».* C'est François Hollande en personne qui a accouché de la mesure comme une ultime ruse sémantique face à l'assaut libéral. Quand Laurence Parisot découvre la mesure, elle s'étrangle *:* « *C'est quoi ce monstre ? »* Une heure plus tard, la patronne du Medef rappelle Pierre-René Lemas, le secrétaire général de l'Élysée : *« J'ai bien compris, ça fait 6 % de baisse ? C'est trop bien. »*

Le président aussi est content : la mesure ne coûtera rien en 2013. Acculé, il a gagné du temps, encore et toujours. Pour la financer, il a prévu un peu de TVA, un peu de fiscalité écologique, un peu d'économies budgétaires – eh oui – et beaucoup de croissance. Bref, il a fait du Hollande, il a tout lissé, tout atténué pour ne pas faire bondir sa gauche qui, tout de même, a un sérieux hoquet quand elle découvre le pot aux roses : *« Le CICE ? On l'a découvert lors d'une réunion de ministres. Un dossier d'information était posé sur la table, j'ai écrit dessus : "Ils ont de la chance les ministres !" »* s'étrangle Cécile Duflot encore furibarde. Mais le fait est qu'elle et ses amis Verts encaissent. Officiellement, pas de vainqueur ni de vaincu, pas de changement de ligne, juste un nœud tranché et un départ évité.

La première fortune de France ne s'exilera pas. Bernard Arnault l'annonce publiquement en avril 2013 dans un entretien au *Monde*. Lui aussi avait demandé, comme Gérard Depardieu, la nationalité belge. « *Pour des raisons patrimoniales, pas fiscales* », s'était-il défendu sans convaincre, s'attirant en retour cette une assassine de *Libération* : « *Casse-toi riche con.* » À présent, l'homme d'affaires fait son mea culpa, ce qui est extrêmement rare chez lui. « *Comme le groupe LVMH et toutes ses marques représentent la France dans le monde entier, cette polémique pouvait avoir une incidence sur l'image qu'il représente* », explique-t-il. À Bercy, un initié décrypte : « *Bernard Arnault a compris que le luxe ne pouvait être apatride, qu'on ferait une politique pro-business et qu'il aurait droit à un traitement fiscal pas féroce sur Hermès.* »

Dix-huit mois plus tard, l'industriel inaugure en grande pompe la Fondation Louis-Vuitton dans le bois de Boulogne. C'est l'événement culturel de la saison. Quatre cents people du monde des affaires et des arts ont été conviés. François Hollande est là aussi, tout fier. Les invités, conquis, découvrent l'œuvre de l'Américain Frank Gehry, une sidérante envolée de pliures de verre géantes, une prouesse technique qui est venue à bout de tous les obstacles juridiques grâce à une coopération sans faille entre l'industriel et la mairie de Paris socialiste. Le bilan de la soirée est sans appel – PS : 0, Arnault : 1.

IX.

L'argent qui corrompt...
même la gauche

Ce mercredi 3 avril 2013, le conseil des ministres a des allures de veillée funèbre. Aurélie Filippetti, est en larmes. La ministre de la culture pleure la mort de la gauche morale, le leurre de la présidence normale. Cécile Duflot, sa collègue en charge du logement, prend la parole pour dire son dégoût. *« Les Français se sentent trahis »*, lance-t-elle. La bombe Cahuzac vient d'exploser.

« Je crois que nous nous sommes encore trompés », avait soupiré en son temps Louis XVI quelques semaines après avoir nommé Jean-Étienne Bernard de Clugny contrôleur général des finances. C'était juste après la disgrâce de Turgot. Le baron de Nuits-sur-Armançon, puisque tel est son titre, est d'une probité douteuse. À son poste, il ne tient pas cinq mois, mais ce court instant suffit à réduire à néant la volonté de sérieux affiché par le jeune roi après les frasques de Louis XV. Clugny a le temps de se couvrir de prébendes avant de mourir subitement d'une crise de goutte, entouré de sa femme, de sa belle-sœur et de ses trois maîtresses.

François Hollande a mis de longs mois à ouvrir les yeux sur Jérôme Cahuzac, le fraudeur qui s'est propulsé au budget pour traquer la fraude fiscale et qui va contribuer à plomber son règne aussi sûrement que Clugny celui de Louis XVI. À Bercy, ses collègues ne l'aiment pas : « *Un cynique total qui faisait la pluie et le beau temps* », se souvient Arnaud Montebourg. Pierre Moscovici n'en pense pas moins. À sa décharge, l'élu du Lot-et-Garonne est un habile dissimulateur qui œuvre à son poste avec un zèle et une efficacité redoutables, ce qui n'était pas le cas du médiocre Clugny. Grand, élancé, portant beau la soixantaine, ce sportif de haut niveau a conçu chaque instant de sa vie comme une compétition qu'il doit nécessairement remporter, et celle-ci est particulièrement ardue : enseigner les vertus de l'équilibre budgétaire à la gauche. L'entreprise n'ayant guère été préparée, il y va à la hache. La tête pleine de chiffres, se trompant rarement, Jérôme Cahuzac impressionne, antagonise et parfois même humilie. Il est le Saint-Just des finances publiques et la terreur de ces dames : Cécile Duflot et Aurélie Filippetti le détestent, elles le prennent pour un dangereux personnage, un psychorigide. Elles en ont presque peur lorsque soudain il s'énerve et que ses yeux deviennent exorbités. Michel Sapin ne le supporte pas non plus. Le ministre du travail et de l'emploi a bien failli en venir aux mains avec lui lorsque, venu négocier à Bercy les crédits destinés aux emplois d'avenir, l'une des grandes priorités du quinquennat, il s'est heurté à un mur. Les autres font contre mauvaise fortune bon cœur comme le secrétaire d'État aux transports, Frédéric

Cuvillier, qui, un jour, a la surprise d'entendre que les grands travaux qu'il supervise sont supprimés. Ainsi en a décidé Jérôme Cahuzac sans penser à avertir l'intéressé !

Redoutable orateur, le ministre délégué au budget a d'autres cordes à son arc : avec lui, l'opposition file doux. La mémoire particulièrement bien faite, Jérôme Cahuzac est capable de réciter d'une traite tous les impôts qu'elle a levés durant les deux dernières années du précédent quinquennat. Et comme la somme est assez rondelette, la droite évite d'en faire un sujet de querelle. Le grand argentier est aussi un homme très bien informé, ce qui contribue à son autorité : sous le règne de Nicolas Sarkozy, il a présidé la commission des finances de l'Assemblée nationale et a pu, à ce titre, consulter quelques dossiers fiscaux sensibles, ce qui est le meilleur moyen de neutraliser les plus vindicatifs. Pas de doute, à ce poste sensible, il est l'homme qu'il faut à François Hollande. Lorsque le bretteur l'a rallié, le candidat lui a ouvert grands les bras, pas mécontent de trouver chez lui ce qu'il ne voyait pas chez ses fidèles. Comme en outre Jérôme Cahuzac est un strauss-kahnien orphelin, sa satisfaction est totale.

Le 5 décembre 2012, le site Mediapart provoque un premier tremblement en affirmant que le ministre du budget, l'homme chargé de traquer les fraudeurs, détiendrait un compte à l'étranger.

Entre ce moment et les aveux de Jérôme Cahuzac, il s'écoule quatre longs mois durant lesquels François Hollande refuse tout acte d'autorité. Sur le moment, c'est compréhensible. Comment ne pas croire cet homme qui, en tête à tête, lui a répondu : *« Bien sûr que non, comment peux-tu imaginer une chose pareille ? »* Mais lorsque, début janvier 2013, une enquête est ouverte pour blanchiment de fraude fiscale, François Hollande devient moins dupe : *« Si l'affaire est vraie, il aura menti au président de la République »*, lâche-t-il devant quelques proches comme si, soudain, un doute l'étreignait. Le président ne se résout pas pour autant à virer son ministre. *« Il faut laisser faire la justice »*, plaide-t-il, inquiet à l'idée qu'on puisse le soupçonner d'interférence politique. Encore une obsession anti-Sarkozy, à moins que ce ne soit qu'une excuse pour gagner du temps.

Car la justice n'est, en réalité, plus seule à enquêter. François Hollande cherche lui aussi à se renseigner. À vrai dire, il a de moins en moins confiance en son ministre qui a promis de lui fournir la preuve de son innocence et en est incapable. Le 16 janvier, le président de la République, flanqué de son premier ministre, convoque Jérôme Cahuzac et Pierre Moscovici dans son bureau et charge ce dernier de lancer une demande d'entraide à la Suisse. C'est clairement un désaveu du ministre délégué au budget qui, à partir de là, perd pied et multiplie les faux pas : lorsque la réponse de la Suisse arrive, en principe protégée par le secret fiscal, en principe non connue de lui, Jérôme Cahuzac l'utilise sans vergogne pour tenter de se dédouaner. Le 10 février 2013, *Le Journal du Dimanche* titre : *« Les Suisses blanchissent Cahuzac »*, ce qui est en réalité faux : ils ont simplement fait savoir qu'il n'y avait pas de compte ouvert à son nom depuis

2006. Plus avant, il leur était impossible d'enquêter en vertu de la convention fiscale qui lie la France à la Suisse.

L'affaire prend très mauvaise tournure. Elle devient dangereuse pour tout le gouvernement, elle risque de mouiller le ministre de l'économie, et au-dessus les deux têtes de l'exécutif. Mais toujours pas de réaction jusqu'à ce que le 20 mars une information judiciaire pour blanchiment de fraude fiscale soit ouverte. Cette fois, plus d'excuse, il faut couper la branche. Jean-Marc Ayrault est à Rome lorsque la dépêche tombe. Le premier ministre assiste à l'intronisation du pape François, qui s'apprête à partir en croisade contre « *l'argent idole* ». La coïncidence serait risible si elle n'était aussi tragique. Dans l'avion du retour, Ayrault s'entretient avec François Hollande puis, de retour à Paris, joint son ministre :

« Que dois-je faire ? interroge benoîtement Jérôme Cahuzac.

– Partir », rétorque Ayrault qui, dans la foulée, demande à Bernard Cazeneuve de se tenir prêt à quitter le ministère des affaires européennes pour prendre le budget. Mais là, double refus. Laurent Fabius ne veut pas le perdre et Cazeneuve ne veut pas donner l'impression de voler sa place à un « *ami* ». Car le fait est que ce fabiusien pince-sans-rire est l'un des rares au gouvernement à bien s'entendre avec Jérôme Cahuzac. « *Bernard, tu n'as pas le choix, tu es au service de la France* », insiste, grandiloquent, Ayrault, qui finit par obtenir gain de cause.

L'exécutif a eu chaud, le feu semble circonscrit, lorsque le 2 avril la vraie bombe explose : Jérôme

Cahuzac avoue tout. Pour tenter de sauver sa peau, l'ex-ministre a radicalement changé de méthode de défense. Il est passé aux aveux devant les juges. Le voilà à présent qui joue les repentis et demande pardon sur son blog. *« J'ai été pris dans une spirale du mensonge et m'y suis fourvoyé. Je suis dévasté par le remords »*, assure-t-il. Abasourdis, les Français découvrent que tout était vrai : le compte à l'étranger, les mensonges réitérés au président de la République, au premier ministre, à la représentation nationale.

Le contrôleur général des finances, celui qui au gouvernement est chargé de lever l'impôt, avait bel et bien ouvert un compte à l'étranger pour y planquer plus de 685 000 euros ! Le justicier de l'impôt était un fieffé fraudeur, doublé d'un fieffé menteur ! L'homme de gauche s'en était mis plein les poches ! *« Un désastre généralisé ! »* s'étrangle le sociologue Michel Wieviorka, un proche de Martine Aubry, qui dans un long article publié dans *Le Journal du Dimanche* s'étonne : *« Depuis dix ans qu'ils se préparent à gouverner, les politiques de gauche avaient le temps de se connaître, de nouer des relations de confiance. »* Et de juger *« hallucinant »* que *« l'un d'entre eux ait pu faire gober à tous ses proches, au président, au premier ministre, à tout le monde qu'il n'avait pas ce compte ! ».*
La vérité est que François Hollande et Jérôme Cahuzac ne se fréquentaient pas. Ils ne sont pas de la même bande, pas de la même gauche, n'ont pas le même rapport à l'argent ni à la réussite. Pour avoir observé de près la fin des années Mitterrand, le premier s'est résolument mis du côté de la gauche

morale. Il a vu ce que coûte à la démocratie le poison des affaires. Dès la nomination de son gouvernement, il a voulu laver plus blanc que blanc. Il a imposé à ses ministres une charte de déontologie : deux pages solennelles qui rappellent « *l'existence d'un lien de confiance entre les citoyens et ceux qui gouvernent* » au bas desquelles Jérôme Cahuzac a apposé sa signature, comme les autres. Il les a aussi obligés à signer « *une déclaration d'intérêts* » et a exigé qu'elle soit rendue publique. Il les a enfin contraints à des règles précises comme refuser toute invitation privée émanant d'une entreprise.

Lui-même s'est tenu à l'abri de la tentation, affichant à l'égard de l'argent une indifférence qui n'est pas feinte : juste un moyen de vivre. François Hollande n'est guère attiré par ce qui brille, ne goûte pas le décorum, reste à ce point indifférent au luxe qu'il semble lui-même dépourvu de toute appétence pour les belles choses. À l'Élysée, quelque chose de gros a longtemps déformé la manche de son costume avant qu'une bonne âme lui conseille de renoncer à la porter : c'était la Swatch que lui avait offerte son fils pour un de ses anniversaires. Il y a chez cet élu un côté corrézien mal dégrossi qu'il assume complètement. Comment aurait-il pu sinon camper aussi naturellement l'anti-Sarkozy ?

Cahuzac, c'est tout le contraire : lui aime les cigares, les montres de luxe, fréquente l'Interallié et le Racing. L'argent le rassure, lui dit qu'il a réussi, le propulse dans l'étroite sphère des happy few qui croient se partager le monde. Il a beau être de gauche, en admiration devant ses parents résistants, fidèle à son Sud-

Ouest natal, il y a chez ce fils de la bourgeoisie de province un côté Rastignac, un goût pour la transgression qui le pousse à cultiver des relations intéressées jusque sur les bancs de l'extrême droite. L'argent n'a pas d'odeur. Cahuzac le surdoué, l'homme pressé, le sportif en quête d'éternelle victoire a, depuis le début de sa carrière, étroitement mêlé les affaires politiques, professionnelles et monétaires jusqu'à en perdre la raison. Quel gâchis !

Car l'homme est brillant, iconoclaste. Il tranche avec cette gauche un peu uniforme venue des rangs de la fonction publique territoriale qui a peu à peu grossi les effectifs du Parti socialiste. Chirurgien des viscères, il a goûté à la politique en entrant au cabinet de Claude Évin, le ministre des affaires sociales de Michel Rocard. Lorsqu'il en est ressorti en 1992, il s'est lancé dans l'implant capillaire, marché bien plus rémunérateur que la réparation des viscères. Il ouvre alors une clinique avec sa femme Patricia, dermatologue, puis crée une société de conseil pour travailler avec les laboratoires pharmaceutiques qu'il avait connus lorsqu'il était conseiller ministériel. Le mélange des genres est douteux mais les contrats sont juteux et l'argent coule à flots.

La ligne jaune est franchie en 1993 lorsque Cahuzac laisse l'avocat fiscaliste Philippe Péninque, son ami du GUD, le Groupe union défense d'extrême droite, ouvrir un compte en Suisse au motif que les clients auxquels il implante les précieux cheveux sont des personnalités célèbres qui n'aiment pas la publicité et réclament l'anonymat. 1993 n'est pas une année anodine. C'est l'époque où la gauche morale a déjà perdu son âme, où le second septennat de François Mitterrand vit au rythme des affaires : Urba, Pelat, Tapie, un naufrage. Lorsqu'il devient fraudeur, Jérôme Cahuzac n'a pas de mandat politique, mais, deux ans plus tard, il prête sans états d'âme son concours à Lionel Jospin qui, paré de vertu protestante, a revendiqué le « droit d'inventaire » sur les années Mitterrand. Bonne pioche. En 1997, le voilà député du Lot-et-Garonne, à la faveur de la dissolution décrétée par Jacques Chirac. Il a alors 45 ans, sa carrière politique débute, pleine de promesses. Cahuzac apprend vite et combat fort, une vraie lame. Au groupe socialiste, on le repère. Bientôt, il devient président de la commission des finances de l'Assemblée nationale. C'est à ce moment-là qu'il décide de faire naviguer son compte de la Suisse en Asie. Un océan vaut mieux qu'une frontière.

C'est tout cela, cette double vie, ce double jeu, qui explose à la face de François Hollande : une dérive individuelle mais qui signe aussi une époque, celle de l'argent roi, de la perte de substance idéologique, de la porosité des frontières entre une certaine gauche et une certaine droite. De quoi réveiller illico Jean-Luc Mélenchon, l'opposant radical qui se déchaîne, appelle à *« une marche purificatrice »* en dénonçant *« l'oligarchie des gens qui se sentent au-dessus des lois, au-dessus de tout »*.

En réalité, c'est le très probe Jean-Marc Ayrault qui avait chaudement recommandé Jérôme Cahuzac à François Hollande. Il avait apprécié ses talents de député lorsqu'il présidait le groupe socialiste à l'Assemblée nationale et souhaitait vraiment qu'au budget un homme à poigne tienne les rênes. François Hollande s'était laissé facilement convaincre. Ils avaient tellement besoin l'un et l'autre de compétences autour d'eux. Et pourtant, quelle légèreté d'aller puiser dans le vivier strauss-kahnien qui n'était pas le sien l'homme clé du quinquennat, celui qui devait redresser les comptes du pays ! Au budget, tous les monarques le savent, on ne nomme que des fidèles, des hommes de confiance, des hommes prêts à mourir pour vous. Mitterrand avait son Charasse, Balladur son Sarkozy, Hollande, lui, a choisi Cahuzac, qu'il connaît à peine au fond !

Le mardi soir, jour du scandale, le président, accablé, réunit dans son bureau Pierre-René Lemas et quelques conseillers : Sylvie Hubac, Claude Sérillon, Christian Gravel, Aquilino Morelle. *« Sa colère est froide, il se dit choqué par le mensonge, l'aplomb, l'inconscience du camarade Cahuzac. Il veut frapper fort »*, rapporte un participant. Va donc pour *« une grande loi de moralisation »*, *« un choc de moralité »*. Un classique du genre. Mitterrand avait réagi exactement de la même façon pour tenter de solder les miasmes de l'affaire Urba : une grande loi de moralisation pour se dédouaner, détourner l'attention des médias et des Français. Après lui, Jacques Chirac et Nicolas Sarkozy n'avaient pas procédé autrement. À chaque mandat ses affaires. La République n'en aura jamais fini avec ses basses-cours.

Le mercredi matin, le président de la République a pris sa mine la plus sévère pour annoncer le châtiment : désormais, tous les élus devront rendre public leur patrimoine, les ministres aussi. Et tant pis pour ceux qui n'ont rien à se reprocher et n'ont pas envie de tout déballer. Le roi le veut. La mise en scène cependant n'est pas aussi soignée qu'elle le devrait : François Hollande est filmé debout, les bras ballants devant l'entrée de la salle des fêtes de l'Élysée. Au perchoir de l'Assemblée nationale, Claude Bartolone s'étrangle : « *Vous ne m'avez pas consulté alors que je suis le président de l'Assemblée nationale* », fulmine l'élu qui entre aussitôt en résistance et lâche devant des journalistes de Canal + : « *Je ne suis pas d'accord avec cette vision de la transparence.* » Zeus a beau tonner, l'opération mains propres s'enlise à peine lancée. Au Sénat, Jean-Pierre Bel, pourtant vieil ami de François Hollande, est à peine moins sévère : « *On n'est quand même pas en 1793 !* » s'exclame le président de la haute assemblée qui met en garde contre « *l'Inquisition* ». Et c'est eux qui vont finir par gagner la partie au terme d'une longue fronde parlementaire : les patrimoines seront consultables mais pas publiés. Hollande s'en accommode. Seul comptait l'effet d'annonce pour éteindre l'incendie car en ces jours tragiques où la gauche se découvre impure, plus rien ne tient.

Au siège du Parti socialiste, rue de Solferino, les mousquetaires du roi, Stéphane Le Foll en tête, ont dû courir mettre sous tutelle le premier secrétaire, Harlem Désir, qui, sans crier gare, vient d'appeler à un référendum sur les institutions pour tenter de calmer l'effroi de ses troupes. Comme si c'était à lui de le faire et comme si c'était le moment de consulter le peuple ! Tais-toi, Harlem ! On ne veut plus voir qu'une seule tête. Au gouvernement, ce n'est pas mieux : les Verts, choqués, menacent de démissionner. Pour se sauver du déshonneur, disent-ils. La semaine suivante, la rébellion est montée d'un cran, elle s'est organisée et s'est réorientée : il ne s'agit plus de sauver l'honneur mais de changer de politique économique – carrément. Autour de la table du conseil des ministres, ils sont désormais quatre : Cécile Duflot, Arnaud Montebourg, Christiane Taubira, Benoît Hamon à plaider pour desserrer l'étau. Aux yeux de ce petit groupe, le départ de Jérôme Cahuzac ne doit pas seulement permettre de retrouver du crédit, il doit libérer les crédits !

Pendant ce temps, Jean-Marc Ayrault, sonné, gère comme il peut l'après-Cahuzac. Au téléphone, son ancien ministre a fait acte de contrition. Il lui a demandé pardon : *« J'ai menti à mes enfants, au président »*, a-t-il gémi, mais lorsqu'il a été question d'argent, loin de s'excuser, il s'est brusquement raidi. Le premier ministre lui a demandé de renoncer à ses indemnités d'ancien ministre : 9 443 euros bruts mensuels qu'il peut en principe toucher pendant six mois mais vu les circonstances... *« C'est dégueulasse »*, a éructé Cahuzac en refusant tout net. Jean-Marc Ayrault a raccroché, partagé entre l'écœurement et l'effroi. Il redoute le suicide de son ancien ministre, se souvient de Roger Salengro, le ministre de l'intérieur du Front populaire qui s'était donné la mort, victime des calomnies de l'extrême droite : *« Le seul qui l'avait défendu à l'époque, c'était Léon Blum, Daladier, lui, avait été horrible »*, murmure-t-il.

116

Heures noires qui pourtant ne soldent rien. Seize mois plus tard éclate l'affaire Thévenoud, deuxième scandale du quinquennat, rocambolesque histoire d'un jeune député socialiste à qui tout sourit... sauf l'administration. À 40 ans, le député de Saône-et-Loire se targue de donner tout son temps à l'action publique. Mais voilà, il souffre d'une maladie à ce jour non répertoriée : une *« phobie administrative »*, c'est en tout cas ce qu'il ose invoquer pour sa défense lorsque le site Mediapart, encore lui, révèle qu'en délicatesse avec le fisc il a été l'objet d'un recouvrement forcé, assorti de 12 593 euros de pénalités. Plus tard, on apprendra qu'il n'y avait pas que les impôts mais aussi les loyers, les factures EDF, les PV, et même les séances kiné des enfants. Incroyable, François Hollande et Manuel Valls l'ont nommé secrétaire d'État au commerce extérieur, le 26 août 2014, parce que le député est considéré comme un proche de Montebourg et qu'il faut absolument faire oublier le départ de Montebourg. Dans la précipitation, ils n'ont pas pris le temps de vérifier les déclarations de patrimoine du jeune élu, preuve par l'absurde que toutes les lois de moralisation du monde ne viendront jamais à bout de la folie des hommes. Lorsque le pot aux roses est découvert, la sanction ne traîne pas. Thomas Thévenoud démissionne en refusant cependant de renoncer à son mandat de député. Dix mois plus tard, l'administration fiscale porte plainte pour fraude contre lui. Il n'a appartenu au deuxième gouvernement Valls que neuf jours, mais c'était amplement suffisant pour jeter l'opprobre sur la jeune garde socialiste.

La *« République exemplaire »* a vécu.

X.

Leonarda vice-présidente

Le samedi 19 octobre 2013 marque une date dans l'histoire de France. Ce jour-là, une jeune fille de 15 ans ridiculise en direct sur BFM TV le président de la République qui tentait pourtant, le brave homme, d'arranger ses affaires. *« Je remercie M. Hollande, mais sans mes parents, non ! »*

La scène est incroyable : hébergée dans un petit pavillon du centre de Mitrovica, au nord du Kosovo, une famille de Roms à la réputation douteuse, la famille Dibrani, qui vient de se faire expulser de France après avoir épuisé tous les recours légaux, mène par le bout du nez le président de la République de la sixième puissance mondiale. Autour d'elle, une nuée de journalistes participent à la cristallisation de l'événement. Devant les caméras, les valises sont bouclées, prêtes pour le retour. Une mascarade !

En réalité, la famille est indéfendable. Le père, Resat, traîne une sale réputation auprès des services sociaux : il est violent, bat sa femme, gifle ses filles lorsque celles-ci lui tiennent tête. À deux reprises, il a été mis en cause dans des affaires de vol. Pour

118

tenter de se procurer des papiers, il a fourni un faux contrat de mariage, a menti sur l'origine de son épouse Gemilja qui n'est pas née au Kosovo, comme il l'a déclaré, mais en Italie comme cinq de leurs six enfants. S'il voulait défendre la cause des Roms, François Hollande aurait assurément choisi meilleur modèle. Mais voilà, il y a Leonarda. Dix jours plus tôt, la jeune lycéenne a été interpellée par les policiers dans un car lors d'une sortie scolaire dans le Doubs. Les réseaux sociaux se sont emballés. Comment la gauche qui naguère militait pour la régularisation de tous les sans-papiers pourrait-elle accepter cela ?

Le bus roulait tranquillement vers Sochaux lorsque la professeure d'histoire-géographie, Anne Giacoma, qui encadre la sortie scolaire, a reçu l'appel d'un fonctionnaire de la police aux frontières lui enjoignant de faire stopper le bus. Indignée, elle commence par refuser, trouvant la démarche *« inhumaine »*, puis demande au chauffeur de faire un arrêt sur le parking du collège Lucie-Aubrac, du nom de la grande résistante. Là, sur le parking, l'enseignante fait descendre Leonarda et prie les policiers de laisser le bus s'éloigner avant d'emmener la jeune fille. Quelques jours plus tard, elle lance l'alerte sur le blog de Réseau éducation sans frontières (RESF), qui soutient les élèves sans papiers. Tout est en place pour l'un de ces psychodrames dont la gauche a le secret.

L'indignation monte dans les syndicats enseignants et lycéens. À l'appel de la FIDL (Fédération indépendante et démocratique lycéenne) des élèves commencent à bloquer l'accès de plusieurs établissements en exigeant *« le retour des lycéens expulsés »*. Une partie de la gauche embraie furieusement, sans prendre le temps de se renseigner plus avant. La jeune fille n'aurait pas dû se trouver dans le car. Elle et sa famille étaient assignées à résidence dans l'attente de leur expulsion, mais lorsque les policiers se présentent au petit matin, l'oiseau s'est envolé. Bien joué ! L'école est « *un sanctuaire* » qui doit rester « *inviolable* », clame la gauche morale avec force références aux heures les plus sombres de l'histoire de France. « *J'étais loin d'imaginer qu'en 2013, en tant que parlementaire, élue du peuple, je serais témoin d'une rafle* », ose la sénatrice verte Esther Benbassa. Elle n'est pas la seule. Offusqué, le député socialiste du Nord Bernard Roman parle lui aussi de « *rafle* ». Jusqu'où iront-ils ?

Au bureau national du Parti socialiste, le mardi 16 octobre, c'est la fête à Manuel Valls, le ministre de l'intérieur ! Mehdi Ouraoui, le directeur de cabinet d'Harlem Désir, ouvre la danse du scalp en l'absence du premier secrétaire du PS qui est au même moment dans l'avion présidentiel, sur le point d'atterrir. Le chef de l'État et sa délégation s'en reviennent d'un voyage de deux jours en Afrique du Sud. Pendant ce temps, livrés à eux-mêmes, les socialistes se déchaînent. « *L'expulsion de Leonarda est une grave erreur qu'il faut corriger, sinon ce sera une faute* », s'exclame le zélé directeur de cabinet. L'aile gauche aussitôt renchérit : « *Si cela s'est vraiment passé comme le disent les premiers témoignages, on a dépassé les limites de l'acceptable* », gronde Emmanuel Maurel tandis que Pouria Amirshahi fustige une « *violence faite à la République* », « *des décisions aveugles et infâmes* ». Dans la foulée, le Mouvement des jeunes socialistes (MJS) exige la

« *régularisation* » de Leonarda et des siens, sans plus de précaution. Une partie du PS perd la tête !

Le psychodrame est déjà bien entamé lorsque François Hollande atterrit. Le président rapporte dans ses bagages quelques jolis contrats. Il voudrait savourer mais impossible, la jeunesse gronde. Il n'aime pas ça. Comme tous les présidents, il la surveille comme le lait sur le feu. Vincent Peillon, son ministre de l'éducation nationale, l'a alerté du danger : « *Ça monte.* » Aussitôt, il cherche à calmer le jeu, réclame une enquête sur les modalités de l'éloignement de la jeune fille qui sera confiée à l'Inspection générale de l'administration.

Le reste aussi l'inquiète. Ce n'est certes pas la première fois que la gauche se déchire sur le sort des sans-papiers. Seize ans plus tôt, lorsque Jean-Pierre Chevènement, ministre de l'intérieur de Lionel Jospin, avait tenté d'introduire un peu de rigueur dans la politique d'immigration, des intellectuels s'étaient mobilisés, les communistes avaient marqué leur désaccord, les Verts avaient rué dans les brancards. « *Fermeté et humanité* », n'avait cessé de répéter Lionel Jospin pour tenter de tenir la balance. « *Fermeté et humanité* », répète François Hollande mais, en réalité, le président n'est déjà plus maître du jeu.

C'est Manuel Valls qui mène la danse. Depuis l'été, son ancien directeur de communication a rompu les chaînes. Il s'est affranchi. Comme l'avait fait avant lui Nicolas Sarkozy à la même place. À croire que la place Beauvau leur donne des ailes ! Le ministre de l'intérieur se prend pour Clemenceau, il fait du sécuritaire à haute dose, il charge la gauche morale et ça marche ! Sa cote de popularité ne cesse de grimper, alors il en rajoute, toujours plus ! Et pan sur Ayrault ! Pan sur Taubira ! Pan sur Duflot ! À qui le tour ? Mi-inquiet, mi-fasciné, François Hollande assiste impuissant au torpillage du fragile compromis sur lequel il s'était fait élire. Le gouvernement est au bord de l'explosion.

L'ambitieux n'y va pas de main morte. Porté par les sondages qui font de lui le ministre le plus populaire d'un gouvernement qui coule, Manuel Valls a décidé de transformer en or les 5,6 % de la primaire. L'opinion réclame de l'ordre, il décline l'ordre sur tous les tons avec un objectif précis : devenir premier ministre, le plus vite possible. En attendant mieux. Et il ne s'en cache pas le moins du monde. Le 1er juin 2013, dans le journal *La Provence*, il déclare : « *Si demain on me proposait d'autres responsabilités, je les assumerais, bien évidemment. J'ai toujours pensé que j'avais les capacités d'assumer les plus hautes responsabilités de mon pays.* » Jean-Marc Ayrault a compris. Il l'a d'autant plus mauvaise qu'en face à face Manuel Valls est charmant : « *Il ne faisait pas de conflit avec moi* », précise l'ancien premier ministre.

Le ministre de l'intérieur est sans tabou. Le 13 juillet, ce n'est plus seulement le premier ministre qui est défié mais le président de la République en personne. Manuel Valls a organisé un déplacement en Camargue et prévu d'y prononcer un discours pour expliquer ce qu'est le hollandisme, la veille de l'intervention télévisée du chef de l'État qui devait être le clou de l'été ! Il fallait oser, d'autant que la

Camargue appartient au récit sarkozyste. C'est là, dans l'embouchure du Rhône, que, monté sur son cheval blanc, l'ancien ministre de l'intérieur de Jacques Chirac déguisé en cow-boy avait achevé, en 2007, sa victorieuse campagne de premier tour qui allait le conduire sur les marches de l'Élysée.

La référence à Sarkozy devient encore plus explicite lorsque l'occupant de la place Beauvau consacre son été à torpiller la réforme pénale de la garde des sceaux qu'il juge trop laxiste et pour cause : Christiane Taubira veut supprimer les peines plancher instituées sous le précédent quinquennat. Il ne laissera pas faire. Puis, dans la foulée, il ouvre la croisade contre les Roms, ce qui n'est rien d'autre qu'une déclaration de guerre aux Verts et à la majorité des socialistes qui trouvent que, décidément, le ministre de l'intérieur n'a rien d'un homme de gauche et se prend un peu trop pour... Sarkozy. Mais lui n'en a cure : plus il tape, plus les sondages lui sont favorables. Pourquoi se gênerait-il ?

Un matin de septembre sur France Inter, Valls cogne fort. « *Oui, il faut dire la vérité aux Français, ces populations ont des modes de vie extrêmement différents des nôtres et qui sont évidemment en confrontation, cela veut dire que les Roms ont vocation à revenir en Roumanie ou en Bulgarie* », s'exclame le ministre de l'intérieur sans que François Hollande bouge un cil. « *La phrase de trop* », murmure tout bas Jean-Marc Ayrault tandis que Cécile Duflot, estomaquée, explose et somme le chef de l'État de réagir : « *Quand on dit cela, on est au-delà de ce qui met en danger le pacte républicain* », s'exclame-t-elle. Rue de Solferino, Harlem Désir, le trop pâle premier secrétaire, ne sait de nouveau plus comment calmer les militants socialistes excédés. *« Notre parti a une doctrine depuis quinze ans sur les Roms : fermeté républicaine, scolarisation, réponse européenne ; il faut s'en tenir là »*, grommelle-t-il.

On en est précisément là lorsque éclate l'affaire Leonarda qui n'est pas seulement une énième crise au sein de la gauche mais la mise à nu de tout de ce qui ne fonctionne déjà plus dans le système hollandais : le ministre de l'intérieur devenu plus puissant que le premier ministre, la gauche sens dessus dessous, le premier secrétaire du PS qui ne tient pas ses troupes, le président de la République sous pression sans que l'on sache précisément quelle est sa ligne. *« Valls l'impressionnait »*, note un ministre. Voilà pourquoi le drame, en trois actes, se transforme en un piège redoutable pour l'autorité présidentielle.

Le mercredi soir, Jean-Marc Ayrault quitte l'Élysée tout sourire. Il croit avoir remporté la partie. François Hollande a convié à dîner son premier ministre, les présidents des deux assemblées, Claude Bartolone et Jean-Pierre Bel, les présidents des deux groupes, Bruno Le Roux et François Rebsamen, ainsi que le premier secrétaire du Parti socialiste, Harlem Désir. *« Un tour de table est organisé, chacun s'exprime. Devant l'émotion suscitée, on convient qu'on fera revenir la famille »*, rapporte un participant. La gauche morale soupire d'aise. Elle a retrouvé ses repères.

Le lendemain, tout s'effondre. Manuel Valls contre-attaque, furieusement, à coups de SMS rageurs et d'échanges téléphoniques musclés. S'il avait pu se précipiter à l'Élysée, le ministre de l'intérieur l'aurait fait, mais il est bloqué aux Antilles vers lesquelles il s'est envolé le mercredi matin et les milliers de kilomètres qui le séparent de Paris ne sont pas faits pour calmer sa paranoïa : on veut sa peau c'est sûr, eh bien il se battra jusqu'au bout. Avant de s'envoler, il a dit sa conviction : « *La loi a été respectée, les procédures ont été respectées, le respect des personnes a été respecté.* » « *Dès le mercredi, je savais qu'aucune faute n'avait été commise* », précise-t-il après coup. Ce n'est visiblement pas la conviction de Jean-Marc Ayrault qui l'après-midi à l'Assemblée nationale émet la possibilité d'un doute et conclut : « *S'il y a eu faute, l'arrêt de reconduite à la frontière sera annulé. Cette famille reviendra pour que sa situation soit réexaminée en fonction de notre droit, de nos principes et de nos valeurs.* » Lorsqu'on lui a rapporté ces propos, le ministre s'est étranglé : pas de doute, le premier ministre veut pousser à la démission son ministre de l'intérieur. Le tweet du président de l'Assemblée nationale n'est pas fait pour le rassurer : « *Il y a la loi. Mais il y a aussi des valeurs avec lesquelles la gauche ne saurait transiger. Sous peine de perdre son âme* », a écrit Claude Bartolone. Assiégé, Manuel Valls bombarde François Hollande de messages : hors de question de faire revenir les Dibrani en France, la famille est indéfendable ! Le ministre ne laissera pas bafouer l'autorité de ses services et encore moins la sienne. « *J'ai mis ma démission dans la balance auprès de François Hollande et de Jean-Marc Ayrault. J'ai dit très clairement : si on fait revenir la famille je ne pourrai assumer d'être au gouvernement* », confie le premier ministre.

Le troisième acte se joue le samedi matin à l'Élysée. François Hollande a fait revenir précipitamment Manuel Valls des Antilles. Le ministre avait prévu de faire escale à Saint-Martin, il rentre à contrecœur mais la farce a assez duré. Il faut mettre un point final au feuilleton qui monopolise la une des journaux, fait les délices des chaînes d'info en continu et entretient l'agitation dans les lycées. Jean-Marc Ayrault et Vincent Peillon sont là aussi. Juste avant le rendez-vous, le ministre de l'intérieur est passé par son bureau récupérer le rapport de l'Inspection générale de l'administration. Les enquêteurs estiment qu'il n'y a pas eu « *illégalité* » mais « *manque de discernement* ».

Une aubaine pour François Hollande qui trouve entre ces deux mots la possibilité d'une synthèse : puisque rien n'est illégal, la famille restera au Kosovo, mais pour effacer le « *manque de discernement* » des services de police, une faveur sera faite à Leonarda qui pourra revenir en France poursuivre ses études. Seule. C'est ce que le chef de l'État annonce lui-même à la télévision, dans une intervention bricolée à la toute dernière minute. Quelques minutes plus tard la jeune Rom pleurniche devant les caméras de BFM TV. « *Seule, je n'aurai pas de maison, j'aurai rien.* » À ses côtés, le père opine du chef. « *Quelle cruauté !* » réagit du tac au tac Jean-Luc Mélenchon, tandis que Harlem Désir, sommé par SMS de soutenir l'étrange jugement de Salomon, rétorque : « *Mais non, il manque la famille !* » Le fiasco est total.

Dans son livre *Merci pour ce moment*, Valérie Trierweiler revendique pleinement la maternité de cette

126

improbable décision qui ne vaudra que des ennuis au chef de l'État. Une fois encore, la compagne de François Hollande n'a pas pu tenir sa langue. La veille, en déplacement dans une école d'Angers, sa ville natale, elle s'est exclamée : « *L'école est un lieu d'intégration, pas d'exclusion.* » Et pour que cela soit encore plus clair, elle a ajouté : « *La jeune fille n'est pas responsable de ce que son père a pu faire.* » Le soir, de retour à l'Élysée, elle n'en mène pas large, le président est furieux contre elle. Il lui reproche d'avoir une fois encore mis de l'huile sur le feu. La discussion a beau être tendue, Valérie Trierweiler ose un timide : « *Et la petite, elle ne peut pas finir sa scolarité en France dans un pensionnat, comme c'est le cas pour les mineurs isolés ?* » Son compagnon hausse les épaules, exaspéré, mais le lendemain à la télévision devant des millions de téléspectateurs, c'est bien cette décision « *idiote* » qu'il annonce. Merci Valérie !

Tous ses conseillers avaient pourtant mis en garde le chef de l'État, tous sans exception : « *Surtout ne monte pas au créneau toi-même.* » Peine perdue, François Hollande ne veut pas laisser le dernier mot à Manuel Valls et Jean-Marc Ayrault rechigne à assumer. Lorsqu'il prend conscience des dégâts, le président est furieux. Pas contre lui, contre BFM TV qui a tendu le micro à la jeune fille en abolissant le temps, les frontières et les hiérarchies. Comme si la parole d'une jeune fille sans papiers était équivalente à celle d'un président ! En réalité, c'est le roi lui-même qui s'est détrôné, et le temps qu'il s'en rende compte, Valls l'ambitieux s'est encore fait un allié : Arnaud Montebourg le soutient désormais ouvertement. Le

22 octobre dans *Le Parisien*, le ministre du redressement productif qui aime pourtant afficher sa proximité avec Christiane Taubira rend « *un hommage* » à son collègue de l'Intérieur en jugeant l'affaire Leonarda « *disproportionnée* ».

De plus en plus isolé à Matignon, Jean-Marc Ayrault rumine devant ses proches. « *Pourquoi François a-t-il cédé ? Pourquoi n'a-t-il pas fait revenir la famille tout entière ? Valls n'aurait jamais démissionné* », lâche, dépité, celui qui est encore premier ministre. Peut-être. Mais comment en être sûr ?

XI.

La rupture

À force de tirer sur la corde, il fallait bien que cela arrive. Le 26 mars 1675, un siècle avant la Révolution française, éclate en Bretagne une puissante jacquerie. Cinq mois durant, citadins et paysans, coiffés de bonnets rouges ou bleus, mènent la guérilla contre l'autorité royale et seigneuriale. La révolte est partie de Bordeaux, a embrasé Rennes et Nantes puis gagné les campagnes de Basse-Bretagne. Le pic de violence est atteint début août en Haute Cornouaille où les villes de Carhaix et Pontivy sont attaquées et pillées. Le détonateur a été la flopée de taxes levées par Louis XIV pour financer la guerre contre la Hollande : une sur le tabac, une autre sur les objets en étain que les cabaretiers s'empressent de répercuter sur le prix des boissons, une troisième sur le papier timbré qui a pour effet de renchérir tous les actes de justice. La région est alors en plein marasme économique. En outre, elle a peur, elle redoute l'invasion étrangère : au large des côtes bretonnes, croise la marine hollandaise qui tente de fréquentes incursions.

Louis XIV n'en a cure. Il prélève son dû et réprime durement la révolte. Des insurgés sont pendus, d'autres envoyés aux galères. Les mutins, vaincus, remisent leurs bonnets jusqu'à ce que trois siècles plus tard, un socialiste qui prétendait faire le bonheur du peuple redonne une nouvelle jeunesse à leur attribut.

Le 26 octobre 2013, plusieurs centaines de manifestants, coiffés de bonnets rouges, prennent d'assaut le portique écotaxe de Pont-de-Buis dans le Finistère. Les heurts sont violents. Un manifestant a la main arrachée en ramassant une grenade. On compte aussi des blessés du côté des forces de l'ordre. Depuis quelques jours, la FNSEA, le puissant syndicat agricole, fomente à travers tout le pays des manifestations contre cette nouvelle taxe qui doit entrer en vigueur le 1er janvier 2014 et est en réalité déjà mort-née, victime de ses propres tares et d'un ras-le-bol fiscal devenu général.

Sur le papier pourtant, tout le monde la voulait, cette taxe, droite et gauche confondues. Elle était d'une si belle couleur verte, d'une si évidente logique ! Cela faisait six ans qu'elle mûrissait dans les soutes des ministères, ce qui faisait quand même beaucoup. Elle était née en 2007, dans la foulée du Grenelle de l'environnement, sous le règne de Sarkozy, lorsque la représentation nationale commençait à communier dans l'écologie. Taxer les pollueurs pour financer les modes de transport non polluants, qui pouvait être contre ? À la quasi-unanimité, le Parlement vote donc le principe d'une taxe kilométrique sur les poids lourds circulant hors autoroutes dont le produit servira à développer des modes de transport moins polluants.

Les problèmes commencent lorsqu'il faut passer aux travaux pratiques : pour lever la taxe, chaque poids lourd doit être équipé d'un boîtier GPS qui déclenchera des portiques installés sur l'ensemble des routes taxables, tous les quatre kilomètres environ. L'État n'a évidemment pas un sou pour construire ces infrastructures. Donc, comme sous l'Ancien Régime, il afferme l'impôt. Cela prend évidemment du temps : l'écotaxe qui devait voir le jour en avril 2010 est ajournée. Finalement une compagnie privée est choisie, Ecomouv' dans laquelle dominent les actionnaires italiens d'Autostrade. Le contrat, négocié sous le gouvernement Fillon, est un désastre pour l'État : sur les 1,2 milliard d'euros que doit rapporter chaque année l'écotaxe, près de la moitié (40 %) servira à rémunérer les fonds propres d'Ecomouv' et à couvrir les frais de fonctionnement du système. Qu'importe ! Le temps que les portiques s'érigent, la nouvelle taxe est programmée pour le 1er janvier 2014. Le mistigri est tombé du côté de la gauche.

Évidemment, les transporteurs ont eu le temps de voir venir la menace. Toutes sortes d'exemptions ont été négociées, y compris en faveur des véhicules appartenant à l'État. Les régions excentrées ont aussi obtenu leur abattement : 30 % pour l'Aquitaine et Midi-Pyrénées, 50 % pour la Bretagne, mais dans le royaume surimposé et anémié qu'est devenue la France, l'écotaxe est la goutte d'eau qui fait déborder le vase.

En Bretagne, la mobilisation prend une forme violente. Comme en 1675, c'est la combinaison du ras-
le-bol fiscal, des difficultés économiques de la région
et de la crainte de l'envahisseur étranger, via cette
fois les délocalisations, qui pousse à la jacquerie. Dans
les cortèges se mêlent des manifestants qui n'ont pas
grand-chose à voir entre eux : des agriculteurs de
la FDSEA en pétard contre « *la dictature écologique* »,
d'anciens salariés d'Alcatel, de Doux, de PSA, assom-
més par les plans sociaux qui tombent dru sur la
région, des syndicalistes de Force ouvrière. On voit
aussi des régionalistes portés par le maire de Carhaix,
Christian Troadec, et des patrons bretons réunis dans
le Comité de convergence des intérêts bretons. Et
partout, des bonnets rouges qui font craindre une
révolte. Ou même pire.

À l'Élysée, pour une fois, on a très vite compris.
Pas question de se déguiser en Louis XIV. Bien trop
faible pour cela. Dès le 29 octobre, François Hollande
décrète le repli, poussé par Manuel Valls et Stéphane
Le Foll. Les deux ministres ont eu vite fait de jauger
l'état du pays. Tout ce qui remonte des préfectures
est alarmant. Cette fois, c'est du sérieux. L'écotaxe
est suspendue. Elle ne renaîtra pas. Ségolène Royal,
devenue ministre de l'environnement, se chargera
de l'enterrer définitivement un an plus tard, à la
barbe des Verts, en pleine discussion parlementaire
du projet de loi sur la transition énergétique. Périlleux, mais en réalité elle n'avait pas le choix. « *Cela
risquait de finir en émeutes* », lâche-t-elle alors qu'une
nouvelle mobilisation de routiers menace les sacro-

saintes vacances de la Toussaint. Deux mois plus tard, l'État résilie le contrat Ecomouv' en s'engageant à verser 800 millions d'euros d'indemnités à la société éconduite. L'écotaxe a remporté la palme de l'impôt le plus ruineux du royaume. Elle a aussi servi de cruel révélateur : le peuple a décroché.

Ce que François Hollande redoutait le plus depuis l'avènement de son quinquennat est en train de se produire : les petites gens se sentent trahies et même trompées par celui qui proclamait dix-huit mois plus tôt : « *Le changement c'est maintenant.* » Dans les perceptions, d'inhabituelles files d'attente disent l'ampleur du malaise. Certains contribuables ne peuvent pas payer. Humiliés, ils font la queue pour négocier un rééchelonnement. « *J'ai vu des gens pleurer dans les trésoreries* », s'indigne Arnaud Montebourg.

Combinées au chômage massif, les hausses d'impôts accablent les petits et accroissent le sentiment de déclassement qui hante les classes moyennes. Désormais, 44 % des Français affirment « *s'en sortir difficilement avec les revenus du foyer* ». Ils n'étaient « que » 36 % en 2010, indique une enquête publiée en mai 2013, par la Fondation Jean-Jaurès, proche du Parti socialiste. François Hollande n'est certes pas responsable de tout. Ce qui a fait le plus mal en ce sombre hiver 2013, ce sont le gel du barème de l'impôt sur le revenu et la suppression de la demi-part attribuée aux veufs et aux veuves, deux mesures votées par le gouvernement Fillon mais qui n'étaient pas encore entrées en application. Un cadeau empoisonné pour les successeurs mais la nouvelle équipe a pour le moins manqué d'à-propos : soit elle abrogeait, soit elle expliquait. Elle n'a fait ni l'un ni l'autre ! Près d'un million de foyers sont ainsi devenus redevables de l'impôt sur le revenu sans qu'on ait pris la peine de les prévenir. C'est ça aussi qui attise la colère.

Une digue s'est rompue : l'allergie fiscale n'est plus l'apanage des seuls riches, explicitement visés par le gouvernement dans sa politique de redressement. Elle touche à présent les classes moyennes, le cœur de l'électorat hollandais. Chez les foyers disposant d'un revenu net supérieur à 3 000 euros nets par mois, l'idée se développe que le montant de l'impôt acquitté est trop élevé et sans rapport avec ce qu'ils reçoivent de l'État. « *Ils ont l'impression de payer pour "des gens qui ne font pas d'efforts", en vrac les fonctionnaires, les chômeurs, les immigrés, les étudiants* », souligne le sociologue François Miquet-Marty. La France active est en train de craquer par pans entiers : salariés aux revenus modestes, artisans, commerçants, patrons de PME aux marges trop faibles qui se battent pour faire vivre leur activité et n'en peuvent plus de l'impôt et des réglementations. Et Marine Le Pen, évidemment, se frotte les mains. Pour la gauche, c'est un désastre : le pacte fiscal est rompu. La France est devenue une poudrière. François Hollande en est conscient, il a vu monter la fronde mais trop tard, le train était lancé.

Quelques mois plus tôt, le mardi 20 août 2013. La France, assoupie, profite des derniers jours de vacances lorsque, interrogé au micro de France Inter, Pierre Moscovici lâche une petite bombe. « *Je suis très sensible au ras-le-bol fiscal qui monte dans le pays* », dit d'une voix posée le ministre de l'économie. Son intervention est d'autant plus remarquée que « Mosco », comme l'appellent ses amis, s'exprime peu sur les affaires françaises. Depuis qu'il a été nommé, il est plus souvent à Berlin et à Bruxelles qu'à Paris pour tenter de calmer l'inquiétude de ses voisins. Mais dans quelques jours, il va intervenir à Jouy-en-Josas devant l'université d'été du Medef et il sait très bien comment il va être accueilli.

De nouveau, les patrons grondent. Certes, ils ont obtenu le crédit d'impôt compétitivité-emploi mais toutes sortes de taxes continuent de leur tomber dessus. Ils n'en peuvent plus. « *Du petit déjeuner au dîner, on ne lui parle que de ça* », rapporte un conseiller du ministre. « Mosco » en a évidemment parlé au président lors de leur entretien hebdomadaire, et de fait le président est préoccupé : l'investissement ne repart toujours pas. Or, sans investissement, pas de croissance. Donc, lorsque son ministre s'épanche au micro de France Inter, il n'est pas mécontent du tout. Au contraire. Lui qui d'ordinaire commente très rarement les prestations de ses ministres y va d'un : « *Formidable, c'est ce qu'il fallait dire* ».

Mais avant l'université d'été des patrons, il y a celle des socialistes, et c'est une autre paire de manches. Le vendredi, Pierre Moscovici est dans la voiture-bar du TGV qui le conduit à La Rochelle. Entouré d'une nuée de journalistes, le ministre de l'économie persiste : « *Oui, il y a un ras-le-bol fiscal auquel nous devons être sensibles.* » Un mètre plus loin, Michel Sapin, son collègue du travail, expert en langue de bois, affirme exactement le contraire : « *Non, il n'y a pas de ras-le-bol fiscal.* »

En réalité, le gouvernement est en plein psychodrame. Cette fois ce n'est pas le budget de l'État
qui est en cause mais celui de la sécurité sociale. Il
manque 6 milliards d'euros pour boucler la réforme
des retraites exigée par Bruxelles. L'allongement de
la durée de cotisation a bien été acté, mais il ne
suffit pas. Donc l'impôt encore et toujours. Dans le
camp des taxeurs, on trouve le premier ministre, Jean-
Marc Ayrault, le nouveau ministre du budget, Bernard
Cazeneuve, la ministre des affaires sociales, Marisol
Touraine, et Michel Sapin. Tous les quatre penchent
pour une hausse de la contribution sociale généralisée
qui a l'avantage, si l'on peut dire, de toucher tout le
monde : actifs et retraités.

À La Rochelle, les débats publics sont dignes d'une
réunion du bureau national. Jean-Marc Ayrault est
visiblement très agacé par Pierre Moscovici. Le premier ministre admet mal que son ministre de l'économie fasse de la rébellion, et ose *« insister sur le
ras-le-bol fiscal au lieu de faire de la pédagogie »*. Devant
les militants, il lui fait la leçon : *« Ne faisons pas croire
que nous en avons terminé avec l'effort de redressement,
il faut en appeler à la réflexion et à la compréhension,
l'impôt a un sens. »* Moscovici cependant n'en démord
pas. Il poursuit la croisade, rappelle que 6 milliards
d'euros de hausse de TVA ont déjà été votés pour
financer le crédit d'impôt compétitivité-emploi. *« On
ne peut pas laisser la droite nous faire en permanence un
procès en matraquage fiscal »*, lance-t-il. En privé il est
encore plus cash : *« Si on fait de la CSG en plus de la
TVA, on va se fracasser sur l'impôt »*, prévient-il. Depuis
Paris, François Hollande suit les échanges minute par

minute comme s'il était encore premier secrétaire. La tonalité lui déplaît. Sur son portable, le ministre des finances reçoit un SMS : « *C'est ennuyeux, le débat tourne mal.* »

Au même moment, un autre psychodrame se déroule à l'autre bout de la France. Philippe Martin, le tout nouveau ministre de l'écologie, a débarqué à Marseille pour affronter les militants d'Europe Écologie-les Verts réunis en journée d'été. L'ambiance, comme souvent chez les Verts, est particulièrement électrique. À peine le novice a-t-il pénétré dans la salle que sa collègue verte Cécile Duflot le tire par la manche et lui lance : « *Je te préviens, si tu n'annonces rien, je ne les tiens plus !* »

Un mois plus tôt, Delphine Batho, la ministre de l'environnement, a été limogée pour avoir osé critiquer publiquement les coupes dans son budget. Le premier acte d'autorité du président Hollande. Depuis, les Verts sont en ébullition. Ils ont peur que « Potiron », comme l'appelle Cécile Duflot, les balade. Il leur faut des preuves, des gages, et à gauche le meilleur gage reste l'impôt. Va donc pour une nouvelle taxe : la contribution climat-énergie. Philippe Martin l'annonce fièrement sans être capable d'en préciser les modalités. Il sait simplement que l'Élysée et Matignon sont d'accord sur le principe. « *La décision a été actée par le premier ministre* », assure-t-il.

Un impôt de plus, encore un ! Cette fois, la coupe est pleine. Pierre Moscovici n'est plus seul, il a trouvé des alliés. Laurent Fabius et Ségolène Royal sortent du bois, montent en renfort. « *Faire des impôts, c'est le degré*

zéro des idées. Créer un nouvel impôt, c'est un signal néga-
tif, un choix dangereux. Les Français n'en peuvent plus »,
assène l'ancienne candidate à la présidentielle. Bruno
Le Roux s'y met aussi : le président du groupe socialiste à l'Assemblée nationale a très bien entendu ce
qui remonte des circonscriptions : Ségolène a raison,
les Français n'en peuvent plus, il faut un moratoire
et vite. De plus en plus isolée, sincèrement affligée,
Marisol Touraine continue cependant de défendre
l'option CSG : *« On n'a pas à se demander si on fait trop*
ou pas assez d'impôts. On a à poursuivre le chemin étroit
sur lequel on est engagé : trouver le meilleur équilibre entre
les prélèvements, les économies budgétaires et le soutien à
la croissance », argumente-t-elle devant les siens. Jean-
Marc Ayrault, lui, a senti le vent tourner. Dans son
discours de clôture, le premier ministre commence
à mettre un peu d'eau dans son vin : *« L'effort fiscal*
doit être de plus en plus réduit. En 2014, nous devons être
attentifs au dosage », déclare-t-il.

Sept jours plus tard, François Hollande fait la synthèse à sa manière. *« Le temps de la pause est venu »*,
assure le président dans un long entretien au *Monde*.
Marisol Touraine a perdu : le gouvernement n'aug-
mentera pas la CSG. Pour soulager la charge des plus
modestes, le barème de l'impôt sur le revenu sera
réindexé. Menacé d'une nouvelle fronde patronale, le
président s'engage en outre à ne plus alourdir le coût
du travail ni à amputer les marges des entreprises.

Les déficits cependant demeurent, qu'il faut bien
combler. Pour financer les retraites, ce sera donc
une hausse des cotisations salariales, étalée sur trois
ans. La ruse est purement sémantique : il ne s'agit

pas d'un impôt au sens propre du terme mais d'une cotisation. Pour éponger le budget, pas d'impôt non plus mais une nouvelle flopée de taxes à hauteur de 3 milliards d'euros. *« Vous avez dit pause ? »* ironise la presse. *« La pause fiscale, c'est 2015 et non 2014 »*, rectifie Jean-Marc Ayrault qui connaît les chiffres par cœur et ne comprend décidément pas la communication du président. Deux mois plus tard, la révolte des bonnets rouges met l'Élysée au pied du mur.

Le président avait pris son rêve pour la réalité.

XII.

Complots à tous les étages

Au milieu d'une crise économique sans précédent, l'impression d'amateurisme s'est imposée tout de suite.

Un jour de mars 2013, François Rebsamen, qui dirige alors le groupe socialiste au Sénat, croise ainsi Jean-Marc Ayrault : « *Vire un ministre, n'importe lequel, mais fais un exemple !* » Le gouvernement n'a pas un an que la zizanie est à son comble. Une crise d'autorité, une belle, une vraie comme aucun premier ministre avant l'élu nantais n'a eu à en supporter. Elle a déjà donné lieu à une scène pénible, inimaginable.

Trois mois plus tôt, le chef du gouvernement a été insulté devant témoins par un de ses ministres, le ministre du redressement productif. Le président n'a pas sanctionné le fautif. Il a fermé les yeux, il a passé l'éponge, tuant dans l'œuf l'autorité de son premier ministre et un peu la sienne par la même occasion. Lorsque la scène a été rendue publique, la vieille garde socialiste, Joxe, Mermaz, Charasse, ont sursauté, très choqués : jamais Mitterrand n'aurait toléré cela. Jamais un ministre sous Mitterrand n'aurait osé cela.

C'était en décembre, dans l'apocalypse des plans sociaux et des fermetures de sites. Il fallait sauver Florange, le site lorrain où le candidat Hollande, debout sur un camion, était venu rappeler le bateleur Sarkozy à ses manquements. Arnaud Montebourg prend l'affaire très à cœur. Le héraut de la « démondialisation » se fait fort de sauver les deux derniers hauts-fourneaux que Mittal, le roi de l'acier, veut fermer, faute de débouchés. Montebourg part sabre au clair, traite l'Indien de *« menteur »*, le déclare *persona non grata* et annonce travailler à la nationalisation transitoire du site. *« Vous n'allez quand même pas sauver tous les canards boiteux ! »* lui lance un jour Jean-Louis Beffa, le président d'honneur de Saint-Gobain. Et le ministre de lui répondre, bravache : *« Si ! »*

À gauche, le mot « nationalisation » résonne bien : il rappelle les heures glorieuses du premier septennat mitterrandien lorsque les socialistes, alliés aux communistes, avaient encore les moyens de faire trembler les patrons. Mais la sidérurgie va mal et le budget de l'État aussi. Pour nationaliser, il faut une loi. Pour trouver un éventuel repreneur, il faut un appel d'offres. Bruxelles l'impose. Tout est compliqué, tout prend du temps, et surtout tout coûte cher.

François Hollande n'est pas convaincu mais il laisse monter Montebourg qui, dit-il, *« porte une menace crédible »*. Comme un maquignon, le président a décidé de faire monter les enchères. Il juge habile de brandir la nationalisation pour obtenir le maximum d'engagements de la part de l'Indien qui se révèle cependant du genre coriace. *« Nationalisez et je couperai les brevets »*, menace Mittal. *« Pas grave, on se fournira ail-*

leurs », répond Montebourg qui ne doute de rien. À un moment donné, cependant, il faut atterrir, et c'est Jean-Marc Ayrault qui récupère le fardeau et le traite sans états d'âme, dans une ambiance à couper au couteau.

La méfiance entre Matignon et Bercy est telle que, lorsque la décision est prise, le chef du gouvernement s'en va l'annoncer aux Français sans prendre la peine d'avertir son fougueux ministre. La privatisation transitoire est exclue. Montebourg tombe de haut. Aurélie Filippetti aussi. La fille de mineur lorrain, devenue ministre de la culture, s'était battue de toutes ses forces et de tout son cœur pour tenter d'imposer ce symbole : l'État français plus fort que le capitalisme mondialisé ! Elle pleure, se sent trahie. Pas au point cependant de présenter sa démission. Montebourg si. Il ne veut pas être complice de l'« *outrage* » fait aux mineurs. Il veut partir. Il vient le dire au président qui ne veut surtout pas qu'il parte parce qu'il ne veut pas perdre sa gauche.

Hollande cajole Montebourg, le flatte, le rassure, le convainc de rester. Enfin, pas tout à fait encore. Il faut d'abord que Jean-Marc Ayrault aille à Canossa, appelle son ministre, qu'une franche explication ait lieu entre eux deux et c'est là que la tirade fuse comme un tir de mitraillette : « *Tu fais chier la Terre entière avec ton aéroport de Notre-Dame-des-Landes dont tout le monde se fout. Tu gères la France comme le conseil municipal de Nantes* », éructe au téléphone le ministre du redressement productif. La scène s'est passée à l'Élysée, à deux pas du bureau présidentiel, en présence de conseillers du président. « *Montebourg m'a humilié,*

Hollande aurait dû le laisser partir », lâche Ayrault qui ne digère toujours pas l'affront et pour cause.

À partir de là, c'est fichu pour lui : Montebourg a l'avantage. Il a obtenu un blanc-seing de contestation. L'avocat qu'il est peut bien avoir perdu l'arbitrage sur Florange, il a sauvé ce qu'il sait le mieux exercer : l'éloquence quand ce n'est pas la grandiloquence. L'agitprop niche au cœur du pouvoir avec quelques grands moments de bravoure comme ce soir de 2014 où le gouvernement au grand complet est réuni pour un dîner. Les ministres papotent tranquillement à chaque tablée lorsque Montebourg fait son entrée et apercevant à l'autre bout de la pièce Ségolène Royal, lance à la cantonnade : « *Tu te souviens, Ségolène, quand je disais que tu avais un seul défaut : ton compagnon ?* » À ce moment-là, François Hollande fait son entrée. Tous plongent le nez dans leur assiette. Quand Montebourg apprendra-t-il à se tenir ?

Le personnage est extravagant, à la fois drôle et cruel, constructif et destructeur, enjôleur et transgressif. Pour pouvoir défendre ses idées : État fort, protectionnisme, démondialisation, lutte contre la finance folle, Montebourg a inventé la primaire. C'est lui qui a porté le processus à bout de bras lorsque Martine Aubry était première secrétaire du Parti socialiste et lui secrétaire national à la rénovation. Tant d'années à trépigner, à enrager, l'horizon bloqué par Hollande et sa bande et soudain la libération enfin, le droit de concourir : il se présente, fait une belle campagne, épaulé par son ami Aquilino Morelle. La dynamique est telle qu'il pense pouvoir gagner : « *Quinze jours*

143

de plus et je basculais Martine ! » répète-t-il à qui veut l'entendre. Son score réel est de 17 % mais dans sa tête c'est beaucoup plus et s'il se rallie à « Guimauve le conquérant » – aimable surnom trouvé par un second couteau fabiusien – ce n'est pas pour autre chose que faire fructifier son capital.

Hollande n'a jamais cru à la « démondialisation » et encore moins aux effets de manches. En réalité, il n'aime pas Montebourg. En privé, il l'appelle le *« Paon »*, le trouve *« incontrôlable, absurde »*, témoigne un ancien conseiller, mais en public, rien ne transparaît. Quand le ministre du redressement productif monte sur ses grands chevaux et hurle : *« Il faut faire bouger Merkel »*, Hollande, d'humeur égale, répond : *« D'accord, mais avec qui ? »* Il le ménage, le gère : *« Montebourg est comptable de ses 17 % »*, l'excuse-t-il. Toujours le principe du camembert, ne pas risquer de perdre la part de marché que le rallié a bien voulu lui apporter. Mais en réalité il ne l'écoute pas parce que son ministre a une façon agressive de poser les sujets, ce qui est un tort car sa thèse méritait en réalité d'être entendue : il était impossible de tout mener de front, la lutte contre les déficits et la restauration de la compétitivité, mais cela aurait mérité d'être posé dès le début, avant l'avènement au pouvoir. On ne se refait pas.

En face, Ayrault n'est pas complètement démuni. Le social-démocrate démarre son sacerdoce avec une cote de popularité de 65 %, supérieure à celle du président. Outre ses fonctions municipales à Nantes, il a été pendant quinze ans le patron du groupe socialiste à l'Assemblée nationale. On ne se maintient pas à ce poste-là sans quelque habilité. Ses convictions sont fortes, à la hauteur de son ambition politique affirmée : démontrer la validité du modèle qu'il défend dans *« une situation politique dangereuse où l'opposition républicaine n'est pas à la hauteur, le Front national est élevé et le pays en proie à une crise d'autoflagellation qui ne correspond pas à la réalité ».*

Mais pour mener son combat, l'homme est tragiquement seul : pas de feuille de route claire du côté du président et pour cause. Rien de structuré au Parti socialiste, on ne l'a pas laissé faire. Très peu d'alliés au gouvernement et c'est là son plus grand tort : *« Peillon et moi n'étions pas des adversaires, nous n'étions pas candidats à Matignon, tu nous as déstabilisés, tu t'es affaibli, tu aurais dû faire alliance avec les réformistes »,* ira lui reprocher en tête à tête son ministre de l'économie Pierre Moscovici lorsque tous les trois seront sortis du gouvernement en mars 2014.

Le président a très vite vu qu'à Matignon ça ne marchait pas, que son premier ministre prenait tous les coups et peinait à les rendre. Il en souffre pour Ayrault et évidemment pour lui-même mais ne fait rien pour l'aider, parce que la bataille est ailleurs et que le chef du gouvernement, au fond, compte si peu. Le quinquennat avait déjà fortement abîmé la fonction, la primaire a achevé de la rendre impossible. Parce qu'ils se sont frottés au suffrage des sympathisants, parce qu'au second tour ils ont apporté leurs voix à Hollande et l'ont fait roi, Montebourg et Valls se croient d'emblée bien plus importants qu'Ayrault. *« Ils ont la tête comme un melon »,* constate Cambadélis, alors numéro deux du Parti socialiste. « *Toute l'orga-nisation politique est fragilisée* », déplore Ayrault.

Basé à Bercy, ce monument excentré et un brin soviétique, pratiquant avec générosité le socialisme hôtelier, Montebourg ne tarde pas à faire fructifier sa petite entreprise en usant de sa liberté de parole et en rassemblant autour de lui un bataillon de rebelles. « *La déprime chez les ministres a commencé très tôt,* raconte Cécile Duflot, *la politique du rabot fâchait tout le monde, on avait l'impression que les technos tenaient les manettes et qu'on n'avait aucune perspective économique.* » Au début, chacun a tendance à râler dans son coin, avec un niveau de paranoïa rarement atteint. François Hollande avait si peu balisé son accord avec les Verts qu'« *à peine installée au logement,* poursuit l'ancienne ministre, *j'ai fait un quart de page dans* Libération *pour annoncer le premier décret encadrant les loyers. J'avais peur que Matignon bloque tout* ». Bonjour la confiance ! Début de l'incivilité.

La vraie rébellion débute cependant un peu plus tard, au printemps 2013, après la démission de Jérôme Cahuzac. Cette fois, c'est une offensive en règle, grou-pée, organisée. Montebourg est à la manœuvre. Autour d'une bonne poularde, l'élu de la Bresse a réussi à structurer son flanc gauche. Trois ministres, Christiane Taubira, Cécile Duflot, Benoît Hamon, participent au complot. La bande des quatre est née. Elle a scellé son alliance au cours d'un bon dîner, cependant gâché par l'implacable constat dressé : « *On va dans le mur.* » Dans la foulée, Montebourg et Hamon se sont exprimés dans la presse. Le premier a fustigé la « *politique d'austérité imposée par l'Europe et rejetée par tous les peuples* ». Le second a dénoncé l'« *austérité qui conduit à une France low cost* ». Dix jours plus tard, des élus de l'aile gauche du PS sont venus compléter l'offensive. Au cours d'une conférence de presse, ils ont réclamé un plan de relance de 43 milliards d'euros sur deux ans, qui marquerait l'affranchissement « *d'une certaine orthodoxie libérale et budgétariste* ». Derrière ce plan, c'est la rupture avec l'Allemagne qui est prônée et une nouvelle alliance politique qui est revendiquée, un « *pacte majoritaire rouge-rose-vert* », qui permettrait de récupérer les communistes. Exit Ayrault !

Pour le premier ministre, ce mois d'avril 2013 est très chaud. Lui et sa germanophilie sont clairement mis en cause. C'est l'époque où une partie des socialistes rêvent d'une relance à la Roosevelt, où le président de l'Assemblée nationale Claude Bartolone dit « *redouter un 21 avril européen* » et appelle à la « *confrontation* » avec l'Allemagne, où la bande des quatre, de nouveau réunie à Bercy, autour d'une poularde mais cette fois dans l'appartement d'Arnaud Montebourg, se met en tête d'écrire au président de la République pour réclamer une réorientation de la politique économique. « *Ils sont fous !* » soupire Hollande.

Valls, c'est différent : plus solitaire, plus policé et bien plus efficace. Lui n'a jamais clamé à tue-tête comme l'a fait Montebourg qu'« *Ayrault est un nul* », un « *légume* ». « *Valls était habile, il venait me rendre compte le lundi, toujours aimable* », rapporte Ayrault. Pendant que Montebourg éructe contre l'Europe, complote et dramatise, le ministre de l'intérieur trace froidement sa route et ne met pas plus de dix-huit mois à transformer en or ses malheureux petits 5,6 %. Déguisé en Clemenceau, le vilain petit canard de la primaire a joué sur l'inextinguible demande sécuritaire d'un pays en pleine crise. Il pèse désormais bien plus que les 17 % de son rival de Saône-et-Loire. Lorsque sa cote de popularité dépasse toutes les autres, il a gagné : il est devenu incontournable.

Valls et Montebourg sont amis de longue date. Ils auraient dû cependant rester rivaux tant ils pensent le contraire mais un jour ils ont décidé d'être alliés et c'est à ce moment-là que la situation est devenue vraiment dangereuse pour Ayrault. Pierre Moscovici a commencé à le comprendre lorsque, un jour de novembre 2013, son collègue du redressement productif a gravi trois étages et poussé la porte de son bureau pour une petite conversation politique.

Ce matin-là, Montebourg est très en forme, très enjoué, très subversif. *« Il est nul ! Il va nous planter ! »* s'exclame le ministre du redressement productif à propos du président de la République qu'il est censé servir. *« Quant à Ayrault, il est encore pire ! »* Ce n'est certes pas la première fois que le héraut du made in France s'épanche ainsi, mais en général il évite de le faire devant son collègue de l'économie. C'est peu dire que les deux hommes ne s'apprécient pas. *« Mosco est beaucoup trop docile avec les puissants »*, dit le premier ; *« Montebourg n'est pas fiable »*, rétorque le second, et tout est dit. Mais ce jour-là, Montebourg est très en verve. Il a un plan : *« Pour le moment, on va garder le président de la République et changer de premier ministre. Valls est le mieux placé, je vais le soutenir. »* Puis il poursuit : *« La vraie question c'est Peillon et toi, soit vous êtes avec nous, soit contre nous et on vous élimine comme des gêneurs. »*

La scène est rapportée par Pierre Moscovici. Elle le fait rire parce que évidemment Montebourg est bon acteur. Il y met le ton, roule les yeux. Le ministre de l'économie a l'impression d'être au guignol. Pour tout dire, il trouve la tirade de son collègue un peu ridicule, un peu puérile. Il aurait dû se méfier, tout était vrai. En novembre 2013, le démondialisateur et le social-libéral ont décidé d'unir leurs forces pour accélérer le débranchement d'un premier ministre qu'ils ne supportent plus. La belle affaire ! Ces deux-là ne sont d'accord sur rien, l'eau et le feu, mais ils ont un intérêt commun. Chez Montebourg, l'envie de meurtre couve depuis l'affaire Florange. Chez Valls, elle est venue avec l'affaire Leonarda. L'un et l'autre se sont sentis menacés. Ils ne pardonneront pas. Et, dans leur sillage, Montebourg réussit à entraîner Benoît Hamon.

Un compère bien placé aide au complot : Aquilino Morelle, le conseiller politique du chef de l'État. L'ancien directeur de campagne d'Arnaud Montebourg a été à Matignon la plume de Lionel Jospin à l'époque où Manuel Valls était en charge de la communication. Ils s'entendaient très bien. *« On n'a pas vu venir le complot »*, diront plus tard les hollandais.

Ayrault, lui, ne dort que d'un œil. Depuis qu'il a vu Morelle s'installer à l'Élysée, le premier ministre n'est pas tranquille. Il se méfie comme de la peste de ce conseiller aux allures de dandy. *« Déjà du temps de Jospin il me savonnait la planche »*, soupire-t-il. Il n'a pas tort. Morelle mène un intense travail de sape. Il a connu le Matignon de Jospin, il voit le Matignon d'Ayrault. Très vite, il diagnostique un problème d'autorité, un problème de personne. Morelle pense qu'il faut changer et vite, il le répète à Hollande. Celui-ci voit bien qu'il y a un problème, commence à regarder ailleurs. *« En novembre après l'affaire Leonarda, François Hollande m'a dit : "Il peut y avoir un changement" »*, confie Manuel Valls. Déjà, le président discute de la répartition des rôles avec son futur premier ministre sans en informer l'actuel dont il peine au fond à se séparer... Qu'importe ! Le temps joue en faveur des comploteurs.

Un matin de décembre, « Manuel » vient partager le petit déjeuner d'« Arnaud » à Bercy, dans son appartement privé. « Aquilino » est là aussi. Les trois hommes commencent à esquisser une déclaration de politique générale. Montebourg réclame une politique économique plus accommodante, un euro plus faible, une relance européenne par l'investissement. Ses yeux brillent, il s'échauffe. Déjà, il esquisse la théorie « des trois tiers » qu'il exposera sept mois plus tard lors d'une conférence de presse lorsqu'il sera devenu le ministre de l'économie de Manuel Valls. Manuel écoute, ne signe rien mais ne repousse rien. Le pacte est scellé. Il n'y a plus qu'à attendre.

XIII.

Le tournant

On approche du tournant. Ce moment du quinquennat où François Hollande, acculé, ose enfin revendiquer la « *politique de l'offre* », ce socialisme de la production qui siffle comme un gros mot aux oreilles de la gauche. Mais c'est comme au théâtre : il y a les coulisses où tout se concocte dans le plus grand secret et l'avant-scène où un leurre divertit le public jusqu'au retournement final. Le cruel de la pièce est que le leurre croit à l'histoire qu'il raconte.

Jean-Marc Ayrault a brisé l'armure. Le fidèle, le loyal serviteur que François Hollande avait installé à Matignon parce qu'« *il ne cherchait pas le jeu personnel* » a décidé de s'émanciper, comme un cave qui se rebiffe. Lorsque ce lundi 18 novembre 2013, quatre journalistes des *Échos* se rendent à Matignon pour recueillir l'interview du premier ministre, ils ne se doutent pas qu'une bombe les attend. La colère des bonnets rouges fume encore que l'interviewé remet une pièce dans le bonneteau fiscal en annonçant tout à trac et à la surprise générale « *une remise à plat de la fiscalité* ».

François Hollande est à Jérusalem, en compagnie de Pierre Moscovici, lorsque Matignon lui fait parvenir le texte pour relecture. Le chef de l'État a peu de temps. Après une intervention devant la Knesset, il doit assister au dîner d'État au côté de Shimon Pérès. La mine renfrognée, il relit la copie sur un coin de table, biffe quelques passages et réexpédie le tout agacé. Le placide Jean-Marc Ayrault vient de lui forcer la main.

Le premier ministre a des excuses. Sa tête est sur le billot. La guillotine se rapproche dangereusement. Valls, Montebourg et Hamon ne sont pas seuls à comploter contre lui. D'autres poids lourds, Fabius, Le Drian, Cazeneuve, pressent Hollande de tout changer. Stéphane Le Foll s'est converti lui aussi. Il était pourtant partisan de faire le dos rond le plus longtemps possible... jusqu'aux élections régionales de 2015 ; mais il voit l'état du pays, il sent le sol se dérober. S'il fallait à Jean-Marc Ayrault un dernier signal d'alarme, la lecture du *Parisien,* ce mardi 12 novembre, achève de l'éclairer. *« Il faut remplacer le premier ministre d'urgence »*, charge le député de l'Essonne Malek Boutih en accusant le gouvernement *« d'être devenu sourd et de ne plus être entendu »*. À quatre mois des élections municipales, une gigantesque trouille s'est emparée des élus de la majorité. Il leur faut un bouc émissaire et vite !

L'orgueil blessé, Jean-Marc Ayrault contre-attaque. Il veut bien être fidèle mais pas *« sacrificiel »*. C'est ce qu'il explique à la petite équipe de Matignon qui, soudée autour de lui, l'aide à préparer son putsch. De bonnes âmes lui ont rapporté ce qu'on lui reproche dans le Tout-Paris : son manque d'autorité, son absence de charisme. *« Tout remonte à l'Élysée, il ne collégialise jamais, on est alors dans l'enlisement »*, fulmine Montebourg, mais d'autres disent la même chose sur un ton plus policé. Il y a à l'évidence un problème, mais à qui la faute ? Depuis des semaines, le premier ministre fait le siège du président pour tenter d'obtenir un gouvernement resserré, cohérent, qui le protégerait de l' *« individualisme »* et de l' *« égoïsme »* de toute cette bande qui dégoise sur lui. Ayrault le germanophile, Ayrault le rationnel rêve, comme en Allemagne, d'une équipe limitée à quinze ministres et quatre secrétaires d'État. Une équipe comme il en existait du temps de Jospin avec des pôles forts tenus par des ministres forts : Strauss-Kahn à l'Économie, Aubry au Social, Chevènement à l'Intérieur, Guigou à la Justice et Jospin au milieu. Mais chaque fois qu'il en parle au président, celui-ci botte en touche. Hollande a commencé à regarder ailleurs.

Ayrault le sent et se bat. Affaire de convictions. Il n'a pas digéré la *« pause fiscale »* annoncée en septembre. Elle choque ses convictions et sa façon de faire de la politique. Le premier ministre ne comprend pas comment certains à l'Élysée ont pu pousser le président de la République à annoncer la *« pause »* alors qu'il est inscrit noir sur blanc que les impôts vont encore augmenter pendant au moins un an. Il en veut aussi à son ministre de l'économie, Pierre Moscovici, qui a fait capoter la hausse de la CSG. *« Il faut tenir un discours de vérité »*, répète-t-il comme un coup de semonce dans l'interview qu'il accorde aux *Échos*.

Le retrait sans discussion de l'écotaxe pour calmer les bonnets rouges a ouvert une autre brèche. À Matignon, on plaidait pour le maintien aménagé de ce nouveau prélèvement avec l'argument que l'État doit pouvoir lever de la ressource s'il veut investir dans le transport propre, comme il s'y est engagé. On ne l'a pas écouté. Le débat dépasse en réalité le cas de l'écotaxe. Le quinquennat n'a pas encore soufflé ses deux bougies que les caisses restent désespérément vides. Comment maintenir l'autorité de la puissance publique ? Affirmer un volontarisme de gauche s'il n'y a plus un sou à mettre dans la machine ? Jean-Marc Ayrault a adhéré au socialisme à la fin des années 1960, dans la mouvance de Jean Poperen, un brillant intellectuel qui militait au Parti communiste avant d'en être exclu. Il en a conservé quelques restes. Il veut encore croire à la force du pacte social et à la légitimité de l'impôt. Il est prêt à mettre toute son énergie dans la bataille. Une gageure alors que les prélèvements obligatoires absorbent plus de 45 % de la richesse nationale et que l'État-providence est de plus en plus regardé de travers : dans les enquêtes d'opinion, la compassion à l'égard des plus démunis diminue, l'idée que les plus aisés doivent donner aux plus modestes perd du terrain. Le vocabulaire change aussi : on parle de moins en moins de social et de plus en plus d'assistanat et tout cela évidemment fait le jeu du Front national.

Ayrault n'est pas aveugle. Il a lu les sondages, mais veut malgré tout mener la bataille politique de l'impôt. Il est convaincu que le ras-le-bol fiscal est lié à l'opacité d'un système *« devenu très complexe »* et « *quasiment illisible* ». Donc, transparence et justice et le tour est joué.

Avant de partir à l'offensive, le chef du gouvernement a pris soin de recevoir Thomas Piketty, l'économiste fétiche de la gauche, le chantre de la réforme fiscale qui s'apprête à conquérir l'Amérique avec son best-seller *Le Capital au XXIe siècle*. Puis il se lance : « *L'impôt est un acte citoyen : la contribution à l'effort collectif, la base du pacte social* », plaide-t-il dans *Les Échos*.

L'interview fait l'effet d'une bombe. Ils l'avaient pris pour un tocard, il les prend tous de court. Ayrault s'accroche et il s'accroche par l'impôt ! « *Une connerie !* » rugit Claude Bartolone. « *La priorité, c'est de baisser la dépense publique* », lance un Laurent Fabius glacial au cours d'un dîner de ministres. Mais le plus marri, c'est Manuel Valls, qui comprend immédiatement que Matignon vient de lui échapper. « *Il fallait voir sa tête !* » commente un rival peu charitable.

Le cabinet d'Ayrault a tout préparé dans le plus grand secret, à l'insu des ministres, ce qui est tout de même un comble pour un chef de gouvernement. Les syndicats eux ont été consultés et des coups de sonde positifs ont été lancés dans la majorité. Les aubrystes adhèrent, les Verts aussi : pour financer la transition écologique, ils ont besoin de l'impôt. En outre, ils ont un vieux compte à régler avec le trop ambitieux ministre de l'intérieur. Comme beaucoup d'autres, Cécile Duflot a été démarchée. « *Un jour, Hamon et Montebourg sont venus m'expliquer qu'ils avaient un accord avec Valls, je me suis tenue à l'écart des intrigues versaillaises* », raconte l'ex-ministre du logement qui refuse tout net d'être du complot.

155

Plus les mois passent, moins elle supporte le ministre de l'intérieur. Elle ne digère pas sa double attaque contre les Roms et la réforme pénale de Christiane Taubira qui a heurté ses convictions et surtout modifié le rapport de force au sein du gouvernement. *« Valls prend en otage le gouvernement »*, fulmine Cécile Duflot, bien décidée à bloquer par tous les moyens l'ascension de son ennemi.

Un combat perdu d'avance, mais elle ne le sait pas encore.

Jean-Marc Ayrault a trouvé des alliés. Il a aussi son bréviaire : *« Plus l'impôt sera simple, plus il sera accepté. Plus il sera équitable, plus il sera consenti. »* Ce sont les propres mots du candidat Hollande. Le premier ministre peut ressortir l'engagement 14 du projet présidentiel qui prévoyait *« une grande réforme permettant la fusion à terme de l'impôt sur le revenu et de la contribution sociale généralisée (CSG) dans le cadre d'un prélèvement simplifié sur le revenu (PSR) »*. Loin d'être déloyal, il clame sa totale fidélité au président. Et c'est ce qui irrite le plus l'intéressé.

Car François Hollande a changé d'avis. Cette fois, il a compris. L'impôt a failli le tuer. Il ne veut plus en entendre parler ! Ce qu'il prépare, en secret dans le palais, est aux antipodes de ce que vend à l'opinion son premier ministre. Lui ne veut pas de remise à plat fiscale, il prépare une baisse massive des charges, non pas pour les Français mais pour les entreprises. *« La politique de l'offre »* est en voie d'être assumée. Enfin ! : pas de redistribution sans production, pas de production sans une restauration des marges des entreprises. Une évidence économique, un gros mot pour la gauche. Il a fallu un an et demi pour que Hollande y vienne.

Le socialiste ne s'est pas converti de gaieté de cœur. Neuf mois plus tôt, au printemps 2013, il restait sourd aux appels insistants des strauss-kahniens : « *On ne relancera pas l'économie sans un minimum d'empathie à l'égard des entreprises* », gronde alors en vain le maire de Lyon, Gérard Collomb. Fin août, le président se raccroche encore à ses rêves de croissance : « *T'as vu, ça repart !* » lance-t-il à l'économiste Élie Cohen croisé à l'Élysée alors que le pays est précisément en train de replonger. Trois mois plus tard, il a enfin admis que s'il ne bouge pas c'est l'enlisement, la mort. Jacques Attali, l'ancien sherpa de François Mitterrand, n'a pas eu besoin de beaucoup insister pour le lui faire comprendre. Ségolène Royal, son ancienne compagne, non plus. Objectivement, la situation du président est désespérée. La fin de l'année approche et il est incapable d'honorer sa hasardeuse promesse d'inverser la courbe du chômage. L'affaire Leonarda l'a ridiculisé, sa cote de popularité est au plus bas, le pays gronde. Il faut qu'il sorte de la nasse, il faut qu'il retrouve de l'air.

Au gouvernement, le clan des anti-impôts s'est considérablement renforcé au rythme de la fronde fiscale : Manuel Valls, Laurent Fabius, Pierre Moscovici, Bernard Cazeneuve, Vincent Peillon, Jean-Yves Le Drian, Stéphane Le Foll de plus en plus inquiets pour l'autorité présidentielle ont tous le pied sur le frein : promesse ou non, on ne réforme pas l'impôt à mi-quinquennat, dans un climat d'allergie aussi prononcé. Il faut inverser le mouvement, baisser l'impôt ou au moins le stabiliser.

Du côté des patrons, les choses bougent aussi. De plus en plus inquiets pour leurs affaires et pour le pays tout court, ils s'interrogent sur leur stratégie. Dix-huit mois d'une fronde incessante n'ont fait que décourager un peu plus les investisseurs. Comment espérer voir le bout du tunnel dans un climat pareil ? Il faut d'urgence trouver un modus vivendi. René Ricol, l'influent président d'honneur des experts-comptables, se dévoue. Il n'en peut plus de voir les sièges sociaux s'expatrier. Quelles que soient les majorités, cet homme plein d'entregent est prêt à œuvrer pour que les affaires reprennent. Nicolas Sarkozy l'avait sollicité au lendemain de la crise financière de 2008 pour tenter de faire redémarrer le crédit. Cette fois, il se démène pour sortir par le haut du blocage politique.

Ce qu'il cherche à faire admettre aux lobbys patronaux comme au pouvoir socialiste, c'est un deal public, un pacte solennel qui serait scellé à l'Élysée devant les caméras entre l'État, le patronat et les syndicats pour sauver l'industrie française. C'est évidemment utopique : jamais François Hollande ne se résoudra à pactiser publiquement avec les patrons, après la campagne qu'il a menée. Trop peur de perdre sa gauche. Mais le président a compris qu'il ne sauverait pas son quinquennat sans un minimum de donnant-donnant et cela tombe bien, car de son côté, Pierre Gattaz n'est pas contre l'idée d'arriver à un deal. Sous ses airs bourrus, le nouveau patron du

Medef est un patriote qui vit son mandat comme un sacerdoce, une mission : « *Le jour où la France devient terre d'accueil, on cartonne* », se plaît-il à dire, ahuri de voir son pays tétanisé, bloqué, avec une telle méconnaissance de l'entreprise.

À peine élu en juillet, il a démarré fort, exigeant 100 milliards d'euros de baisses d'impôts et de charges pour que les entreprises cessent « *d'être asphyxiées, ligotées, terrorisées* ». Il fallait bien donner des gages à la base révoltée. Mais depuis, il s'est un peu adouci. Interrogé le 10 octobre sur RTL, Gattaz s'engage à créer un million d'emplois si les prélèvements baissent. Les syndicats rigolent. L'Élysée non, qui y voit un signal positif.

Pierre Gattaz est le fils d'Yvon, le patron des patrons avec lequel François Mitterrand avait lui aussi fini par discuter, trente ans plus tôt. C'est fou comme l'histoire se répète ! L'entreprise familiale Radiall spécialisée dans les composants électroniques pour les secteurs de l'aéronautique et des télécommunications marche bien. Elle emploie 2 500 personnes, mais en 2001 elle a failli disparaître. Gattaz s'est battu comme un beau diable, il l'a sauvée en allant chercher des marchés à Singapour, à Hong Kong, au Canada, en Corée du Sud. Depuis, il peste contre les rigidités françaises : « *Un jour je me suis dit : soit tu vends, soit tu milites.* »

Il rencontre François Hollande le lendemain de son élection à la tête du Medef. Le courant passe. « *Respect réciproque* », indique Gattaz, qui précise : « *Je ne suis pas politique, je considère l'alternance comme un processus normal à condition qu'on ne casse pas l'outil de travail.* » Trois mois plus tard, le 30 octobre, le voilà de nouveau dans le bureau présidentiel, flanqué cette fois des représentants des cercles patronaux les plus influents du pays : l'Afep, Croissance Plus, l'Asmep-ETI, le Cercle de l'industrie. L'entretien dure deux heures. Gattaz défend mordicus son pacte de confiance : un million d'emplois contre l'ouverture de cinq chantiers : la baisse du coût du travail, la baisse des charges des entreprises, la baisse des dépenses publiques, un grand projet de simplification des formalités administratives, l'allègement des freins à l'embauche. Les autres appuient. Le président est tout ouïe. Les patrons sortent soulagés.

Fausse joie car les jours passent et rien ne vient. Ou plutôt si : Jean-Marc Ayrault annonce la « *remise à plat fiscale* » avec cette précision qui les glace tous : « *à prélèvements constants* » et eux qui croyaient que les impôts allaient enfin baisser ! C'est la douche froide. Gattaz se sent berné. Un jour, il est à l'Élysée pour un déjeuner préparatoire à Davos. Il y croise Macron, le secrétaire général adjoint (qui a beaucoup œuvré au rapprochement). « *Emmanuel, que se passe-t-il ?* » interroge, inquiet, le patron des patrons et Macron répond, rassurant : « *Ce n'est pas enterré.* » Il parle en connaissance de cause : le pacte, c'est lui, le président et dans une moindre mesure Pierre Moscovici. Les autres ne savent pas.

Scène surréaliste. Le 20 novembre, deux jours après l'annonce du coup de force fiscal, François Hollande et Jean-Marc Ayrault sont dans l'avion qui les emmène à Rome pour un sommet franco-italien. « *Qu'est-ce que je dis ?* » lance le président agacé parce qu'il sait que les journalistes vont l'assaillir de questions. « *Tu dis que tu ne fais pas la réforme en une fois mais en plusieurs fois, qu'il n'y a pas de grand soir fiscal* », répond son premier ministre. Ayrault ne croit pas si bien dire. La réforme n'est pas d'actualité. Scènes surréalistes.

Le président a repris la main et s'apprête à jouer seul la grande scène du quinquennat.

Sa mine est grave le 31 décembre, lorsqu'il intervient à la télévision pour présenter ses vœux aux Français. Debout, flanqué de deux drapeaux figés, le chef de l'État ne biaise plus : « *L'année a été intense et difficile pour le pays* », reconnaît-il. La crise s'est révélée « *plus longue, plus profonde que nous ne l'avions nous-mêmes prévu* », les impôts sont devenus « *lourds, trop lourds* », le chômage est « *resté à un niveau encore élevé* ». Un mea culpa, un vrai. Tout s'est joué la veille au soir : « *Attendez-moi* », a lancé le président à ses conseillers dans l'avion qui le ramène d'Arabie saoudite. Quinze versions de son intervention sont prêtes. Il choisit la plus claire, la plus directe. Macron et Morelle passeront la nuit à peaufiner le texte.

Le « *pacte de responsabilité* » est né. Seuls Pierre Gattaz et le patron de la CFDT, Laurent Berger, ont été mis dans la confidence.

Quinze jours plus tard, quelque six cents journalistes venus du monde entier se pressent à l'Élysée pour la troisième conférence de presse du quinquennat. À vrai dire, ce n'est pas l'austère pacte qui a attiré tant de monde, mais le nouveau tumulte qui vient de se produire dans la vie privée du président.

Le magazine *Closer* a révélé la liaison de François Hollande avec Julie Gayet. Valérie Trierweiler a très mal réagi. Elle est hospitalisée. De nouveau le vaudeville, et lui qui voulait faire sérieux ! Eh bien il le sera, envers et contre tout : jamais conférence de presse n'aura été aussi solennelle, aussi maîtrisée, aussi précise, aussi tranchante. Pas un mot sur les affaires de cœur. Tout pour le pacte de responsabilité, et cette fois sans faux-semblant : 15 milliards d'euros d'allègements de charges supplémentaires en faveur des entreprises qui s'ajoutent aux 20 milliards du crédit d'impôt compétitivité-emploi. Sans compter les discussions qui viennent de s'engager à Bercy sur la fiscalité des entreprises derrière Pierre Moscovici. Et pour financer le tout *« au moins 50 milliards d'euros d'économies »* dans la dépense publique, réalisés sous le contrôle direct de l'Élysée.

Une révolution conceptuelle, une provocation pour la gauche, un uppercut pour le centre. *« C'est ce que je lui avais dit de faire il y a dix-huit mois »*, s'étrangle le patron du MoDem François Bayrou en regardant l'autre François devant son poste de télévision. Un ministre présent dans la salle lâche : *« Je n'exclus pas que François ait mis le paquet sur la compétitivité ces quinze derniers jours pour faire diversion. »* Avec ce président, la petite histoire épouse toujours la grande.

XIV.

Bonaparte entravé

... Et puis Valls est arri-vé... Le personnage est haut en couleur : il y a du Villepin en lui et du Bonaparte dans Villepin. Même goût pour la conquête, même sens de l'épique, même admiration pour le petit Corse, sa force, sa vision, son destin. L'heure est au tragique et tout le tragique que François le trop normal avait voulu évacuer de son règne s'impose à lui en ce mois dramatique de mars 2014 où, au lendemain des municipales, le peuple a parlé. Son ministre de l'intérieur s'impose à lui comme Villepin, alors au même poste, s'était imposé à Chirac au lendemain du séisme référendaire de 2005 causé par le non massif du peuple français au Traité constitutionnel européen.

Dans les deux cas, le coup de force se veut bienveillant mais n'efface pas la force du symbole : le premier flic de France devient le tuteur du président de la République pour éviter la crise de régime qui couve parce que tout menace de s'écrouler. Valls à Matignon, c'est un « finie, la récré » proclamé haut et fort avec cependant, concomitamment, la crainte d'un nouveau désordre au sommet de l'État parce que l'homme fort n'est pas celui qui devrait l'être. La politique n'est pas un diamant pur.

« *Tu sais bien que si tu prends Valls, tu lui donnes la voiture et les clés. Et il va se tirer avec* », avait asséné bien plus tôt Valérie Trierweiler à son compagnon lorsqu'ils se parlaient encore et qu'elle lui voulait du bien. Depuis la campagne présidentielle, pourtant, les deux couples cultivent une intimité qui n'est pas que de calcul. Il est arrivé que les Valls soient reçus à Brégançon, viennent dîner à l'Élysée, partagent un réveillon avec le chef de l'État et sa compagne. Mais la chevauchée solitaire du ministre de l'intérieur, son ambition non feinte d'être un jour président, l'écart de popularité qui s'est creusé entre les deux dirigeants créent un rapport de force qu'il est difficile d'ignorer : 46 % de bonnes opinions d'un côté, 17 % seulement de l'autre, ce n'est pas rien et c'est bien parce qu'il craint l'inconfort que François Hollande jusqu'au dernier moment hésite à nommer Valls premier ministre alors que les urnes ont parlé, sans lui laisser le choix.

Cette fois, le président ne fait plus semblant. Il est sonné. Dans le palais ouaté de l'Élysée, le malheur de la France vient de lui sauter à la gorge. Il n'avait pas anticipé le choc. Paris, Lyon, Toulouse, Reims ont résisté mais les villes moyennes tombent les unes après les autres comme un château de cartes. Et lui qui croyait à la force du socialisme municipal que, premier secrétaire, il avait contribué à forger ! Les retours de terrain n'étaient pourtant pas mauvais, quoique. « *C'est assez serein* », veut croire Marylise

Lebranchu une semaine avant le premier tour. Mais de retour de Morlaix où elle a été longtemps maire, la ministre de la décentralisation ajoute cependant : « *Je me méfie quand même. Cela me rappelle 1993, j'ai peur de l'abstention et du vote Front national.* » 1993, l'un des pires souvenirs de la gauche. Un désastre législatif, le nombre de députés socialistes était tombé de 258 à 52. Cette fois la gauche va perdre 121 villes de plus de 15 000 habitants.

« *Il y a un sentiment d'abandon, d'oubli dans une part non négligeable de la population, un vote de doute sur l'identité* », analyse le président brusquement déssillé devant la fournée de journalistes qu'il reçoit dans ce funeste entre-deux-tours, avant de déplorer la nouvelle poussée de l'extrême droite : « *20-25 %, ce n'est pas rien ! Nous sommes la France ! Nous sommes regardés !* », puis de relativiser : « *Le reste de l'Europe aussi est touché par la vague populiste* », et de nouveau s'inquiéter : « *L'Allemagne, elle, va très bien sur tous les plans : économique et culturel, la réunification l'a rassurée sur son identité.* » En quelques phrases, tout est dit : le sentiment d'abandon et la crainte du déclassement à l'ombre de l'Allemagne. Belle lucidité, enfin ! Mais ce que commente le roi, c'est son propre désastre, sa propre impuissance et cela crée le vertige, le vertige du vide. Il faut tout changer et vite, aller puiser chez Valls ce qui manque à l'instant : la popularité, la verticalité et aussi le mouvement. Le mouvement contre l'enlisement.

« *Hollande ne m'a jamais dit qu'il voulait me nommer premier ministre* », précise après coup Manuel Valls, mais, depuis novembre, le président et son ministre de l'intérieur ont des discussions régulières sur les institutions, et plus particulièrement sur cette étrange alchimie qu'est la relation entre un président de la République et son premier ministre. Valls a beau avoir huit ans de moins que Hollande, il aime rappeler qu'il a été pendant sept ans un observateur attentif du fonctionnement de Matignon comme conseiller de Michel Rocard puis de Lionel Jospin. Depuis la place Beauvau, il a pu observer les dysfonctionnements entraînés par l'instauration du quinquennat : la trop forte demande qui pèse sur les épaules du président, le tempo infernal auquel le couple exécutif est soumis, le manque de collégialité au sein du gouvernement, la frustration des ministres qui, du coup, tentent d'exister dans les médias, celle encore plus forte des parlementaires de la majorité qui rongent leur frein en se demandant à quoi ils servent. Il se propose de rééquilibrer. Il sait comment faire : « *Le président de la République c'est le P-DG, le premier ministre c'est le directeur général*, expose-t-il. *Entre les deux, il doit exister une très grande cohérence et une forte cohésion. Il faut parler de tout. Chacun dans son registre doit être fort et le couple doit être complémentaire.* »

Le samedi, veille du second tour, le président semble prêt à acheter l'efficacité et le savoir-faire qui lui ont tant manqué, mais le soir il a comme une hésitation. « *Es-tu sûr de ce que tu fais ?* » demande doucement un vieil ami qui, comme beaucoup, se méfie des ambitions de Valls. Mais le président n'a pas vraiment de cartouches. Personne n'égale Valls en popularité. Au moment de nommer Rocard à Matignon, Mitterrand avait eu cette formule : *« Les Français le veulent, ils l'auront. »* Là, c'est un peu pareil, sauf qu'Ayrault ne déclare pas forfait. Il veut rester et se bat pour rester. Il sait que, comme beaucoup de présidents, Hollande est un conservateur qui rechigne à changer ses équipes, que son souhait est de garder le même second jusqu'aux élections régionales de 2015. *« Plus de deux premiers ministres dans un quinquennat, ça paraît difficile »*, n'avait-il cessé de répéter pendant la campagne lorsqu'il se projetait dans son mandat.

Dans une note détaillée qu'il a laissée sur le bureau du président, le premier ministre en sursis tente son va-tout. Il suggère, pour se réassurer, ce qu'il réclame depuis longtemps : un gouvernement resserré et, dans la foulée, un séminaire gouvernemental pour relancer la France à dix ans puis un engagement de responsabilité au Parlement qui porterait non seulement sur le pacte de responsabilité, mais aussi sur le programme d'économies budgétaires. 50 milliards d'euros à faire avaler à la majorité, ce n'est quand même pas rien ! Avant de proposer sa feuille de route, Ayrault a pris soin de bétonner ses alliances. Il a scellé un accord avec Cécile Duflot qui garantit le maintien des Verts au gouvernement : *« Conditionnalité des aides aux entreprises, absence de gel des prestations sociales, loi sur la transition écologique, dose de proportionnelle dans le scrutin législatif, réforme fiscale »* : telles étaient les conditions du deal, précise l'ex-ministre verte. Ayrault est allé très loin dans les concessions jusqu'à s'engager sur une réforme du mode de scrutin !

On en est là lorsque entre en scène le bouillonnant ministre du redressement productif. Galvanisé par la défaite annoncée, Montebourg est tout à son complot. Il croit que, sur les ruines du socialisme municipal, l'heure des comptes a sonné, qu'il est temps de terrasser ses trois principaux ennemis qui sont dans l'ordre Jean-Marc Ayrault, la Commission européenne et l'Allemagne. Le dimanche matin, l'homme de la démondialisation fait parvenir une lettre de quatre pages au président de la République qui ressemble fort à une mise en demeure. Il appelle « *à un profond changement de politique économique* », demande que la France « *prenne le leadership d'une politique alternative de relance européenne* » en s'inquiétant que « *par crainte excessive de Bruxelles* », on puisse « *cumuler le naufrage économique programmé pour la France et la tragédie politique de l'élimination de la gauche de la carte électorale* ».

Sur le plan intérieur, le ministre prend soin d'épargner le président : loin de lui l'idée de contester la légitimité du pacte de compétitivité que Hollande a personnellement porté. Il demande en revanche qu'un tiers des économies budgétaires prévues d'ici la fin du quinquennat soit versé aux ménages pour contrebalancer les aides aux entreprises, soutenir le pouvoir d'achat, doper la demande et donc la croissance. Les frondeurs, plus tard, sauront s'en inspirer.

C'est lorsqu'il aborde le fonctionnement gouvernemental que le ministre se fait plus menaçant : « *Comment pourrais-je continuer dans ma mission difficile,* écrit Montebourg, *alors que les efforts que mon équipe, mon administration et moi-même accomplissons pour sauver l'industrie sont et seront contredits et découragés sans cesse par des décisions économiques et fiscales qui épuisent l'économie et les entreprises, décisions prises jusqu'à présent loin de toute délibération collective et dans le refus obstiné de la collégialité gouvernementale ?* » Le message est clair : si Ayrault est reconduit, Montebourg n'en sera pas.

Lorsque le dimanche soir Manuel Valls se manifeste à son tour, François Hollande n'a pas vraiment d'autre choix que de le nommer. Le pacte a fonctionné à plein. Dans le gouvernement Valls annoncé le mardi soir et resserré à seize ministres, les deux complices obtiennent de superbes postes : Arnaud Montebourg est promu ministre de l'économie, son complice Benoît Hamon obtient le ministère de l'éducation nationale. Pierre Moscovici et Vincent Peillon sont sortis du gouvernement. Valls, flanqué de ses alliés, s'est imposé. Furieux, les Verts claquent la porte et Jean-Marc Ayrault s'interroge : « *François Hollande a-t-il accepté de nommer Valls en sachant cela ?* » Le fait est que le président a intérêt à ne dormir que d'un œil car l'ambiguïté est alors totale. Valls a beau se prévaloir d'une « loyauté absolue », Hollande ne sait pas très bien s'il vient de nommer à Matignon l'homme qui va l'aider à sauver son quinquennat ou s'il a promu le complice d'Arnaud Montebourg qui clame à qui veut l'entendre : « *Pépère est nul !* » en se faisant fort de s'en débarrasser.

Bonaparte cependant joue le jeu, à la Valls, loyal, heureux, fier de cet « *immense honneur* » qui lui est donné « *de gouverner la France* ». Ce n'est pas de l'enfumage, il y a chez ce Catalan naturalisé français à l'âge de 20 ans l'ardent désir de bien faire, la volonté de servir son pays, la conviction profonde aussi que c'est dans l'action que se forgent les destins. « *À Matignon, il prend une longueur d'avance sur tous ses concurrents* », assure un conseiller. Mais garde la tête sur les épaules. L'été d'avant, un élu UMP l'avait croisé en vacances, dans le Midi, à Saint-Paul-de-Vence. « *Tu es haut dans les sondages, tu as une séquence* », lui avait-il lancé, amusé, et lui de répliquer : « *Non, non, quoi qu'il arrive, Hollande sera candidat !* »

Malin, le président ne lui a pas ordonné de brider sa nature, au contraire. « *Valls doit faire du Valls, il ne doit pas faire différemment* », a déclaré Hollande sitôt après l'avoir nommé. Simplement, le président a veillé à ce que ses fidèles occupent des postes clés : Cazeneuve est à l'Intérieur, Sapin aux comptes publics, Le Foll est porte-parole, ce qui est une façon de se tenir informé de tout. De plus, la reine est de retour, triomphante, sauvée du purgatoire par la disgrâce de Marie-Antoinette avec une grande mission : suppléer les Verts qui, par détestation du nouveau premier ministre, ont déclaré forfait. Ségolène Royal, donc, est ministre de l'écologie, du développement durable et de l'énergie, et surtout troisième dans l'ordre protocolaire, ce qui n'est qu'un début ! Bientôt les journaux s'amuseront de sa rivalité avec le numéro deux Laurent Fabius, puis lui donneront le titre de « *vice-présidente* » en soulignant sa complicité retrouvée avec le président. Pour Valls qui avait été son porte-parole lors de la présidentielle de 2007, rien ne promet d'être simple.

La cohabitation commence, même si le chef du gouvernement réfute le terme. « *Il n'y a pas de co-*

habitation mais je ne suis pas un collaborateur non plus », dit-il. Hollande de son côté nie toute forme de compétition : *« Si nous avons échoué, Valls ne peut pas gagner. L'idée qu'on peut gagner en ayant échoué, ce n'est pas possible »*, se rassure le président. Il n'empêche. Le jeu du duo est bien trop maîtrisé pour être totalement sincère. À l'extérieur, devant les journalistes, devant les ministres, plus que de l'harmonie, une *« affection »* réciproque comme au temps béni de la campagne où Valls, premier rallié, s'était mué en élève le plus zélé de la Hollandie, arrangeant le nœud de cravate du candidat, le rassurant d'un regard, le cadrant, le conseillant, l'aidant à apprivoiser le poste. *« Valls avait joué le bodyguard, il s'était abaissé à prendre ce rôle-là pour être en contact physique avec Hollande »*, se souvient un proche, et Hollande avait été *« bluffé »* par les ressorts du personnage qu'il n'avait jusqu'à présent jamais réellement évalué parce que Valls était trop solitaire et trop droitier aussi. Là, il le découvre : un pro au moral d'acier. Et les voilà qui continuent de jouer la complicité, ou plutôt la *« complémentarité »* : François et Manuel comme s'ils ne s'étaient jamais quittés !

Affaibli, menacé de sortir de l'histoire, le président est devenu Raminagrobis. Il a pour son premier ministre *« des gestes de connivence, des sourires »*, constate un hollandais qui les observe de près en conseil des ministres et en concevrait presque de la jalousie. Valls paraît sous le charme, en connivence. Une vraie lune de miel.

En interne cependant, la tension est permanente pour rééquilibrer le pouvoir : *« Il y a trop de réunions à l'Élysée, ce n'est pas à toi de le faire, c'est à moi »*, se plaint Valls, stupéfait de découvrir que dans le domaine budgétaire et fiscal, l'Élysée s'est quasiment arrogé les pleins pouvoirs. Parfois, c'est le contraire : l'Élysée s'étrangle de la liberté prise par le premier ministre, comme cet après-midi de mai où, pour calmer la fronde qui couve au sein de la grande muette, Valls, avant de s'engouffrer dans un TGV pour Lyon, donne un gage public à son ami Le Drian en assurant que la loi de programmation militaire 2014-2019 sera *« totalement préservée »*. Le matin même, l'Élysée avait pourtant indiqué que François Hollande, chef des armées, rendrait ses arbitrages *« dans les prochaines semaines »*. À quoi joue le premier ministre ?

Vu le contexte, personne n'a intérêt à dramatiser. Interrogé en mai 2014 sur ses relations avec le président, Valls répond, laconique : *« Elles sont bonnes, ça se passe bien, on se parle de tout. »* Un mois plus tard, une confidence de Dominique Strauss-Kahn recueillie par *Le Point* donne, cependant, un tout autre son de cloche : *« Manuel veut faire, peut faire mais il n'est pas tout seul, Hollande s'implique trop au quotidien. Manuel n'a pas d'espace, il n'a pas fait le gouvernement qu'il voulait »*, lâche l'empêché de 2012.

C'est pourtant dans le minutieux travail d'« horlogerie » gouvernementale que « Manuel » donne sa pleine mesure. Organisation, coaching, disponibilité, joignable 24 heures sur 24, c'est à se demander quand cet homme-là dort ! Un ministre s'interroge ? Valls ne met pas plus de trois minutes à envoyer le SMS qui le rassurera. À croire qu'il ne doute jamais ! Comme promis, le premier ministre s'efforce de remettre du collectif dans la décision, réunit ses ministres, les incite à parler, les écoute. « *Il fait le job, il le fait bien* », savoure le président, satisfait de ne plus avoir à subir les lamentos anti-Ayrault.

Mais sous le gant de velours, le poignet reste ferme. Et pan ! Le premier coup de règle est tombé sur les doigts de Ségolène qui l'avait bien cherché. « *Personne n'a de statut à part* », la morigène le premier ministre en découvrant dans *Paris Match* les propos entre guillemets de la toute nouvelle ministre de l'environnement : du Ségolène pur jus ! Partie en guerre contre les « *machos* » qui ont osé contester sa nomination, la reine mère s'autoproclame « *compétente* » à son poste, « *peut-être la plus compétente* », précise-t-elle avant d'attaquer bille en tête Michel Sapin qui ose encore défendre l'écotaxe, et dans la foulée Arnaud Montebourg qui prétend s'opposer à l'offre de reprise de General Electric sur Alstom. « *Si j'ai envie de dire autre chose que ce qui est convenu, je le dirai* », prévient encore la rebelle sans impressionner outre mesure l'ex-premier flic de France qui, lorsqu'il a quelque chose de désagréable à dire, le dit et en face avec cependant ce qu'il faut de distance, comme ce jour de juin 2015 où Ségolène, encore elle, a réussi à semer une belle panique en annonçant le boycott du pot de Nutella. L'épouse du premier ministre italien Matteo Renzi s'est aussitôt précipitée à la télévision pour en tartiner une épaisse tranche de pain et proclamer ainsi son soutien à Ferrero, la multinationale qui produit la pâte. « *Tu sais, Ségolène, avec Cazeneuve on est très inquiets*, lui lance le premier ministre le regard sévère, *des milliers d'enfants appellent à manifester. Anne Hidalgo la maire de Paris dit qu'elle appuie.*

Que fait-on ? » Un éclair d'inquiétude passe dans le regard de la ministre de l'environnement qui finit par éclater de rire.

Valls a trop bien connu la cohabitation Rocard-Mitterrand, le jeu pervers des entourages pour ne pas savoir que le pire poison dans ces situations compliquées est le silence. Le silence qui entretient la suspicion, la suspicion qui transforme en montagne la moindre contrariété. Donc fluidité et longues causeries. *« Je ne me suis jamais mis dans la peau de Michel Rocard, car je n'ai jamais cru à sa thèse selon laquelle Mitterrand l'aurait empêché de gouverner »*, confie le premier ministre. C'est le secret de sa relation avec le président qui, par ces temps de basses eaux, a tendance à se méfier de tout et de tous. Les deux hommes, c'est plus sûr, ne se quittent pour ainsi dire pas de la semaine. Le lundi, ils déjeunent ensemble, le mardi, ils dînent avec les responsables de la majorité, le mercredi, ils se voient avant le conseil des ministres, le reste du temps ils se téléphonent et échangent des textos matin et soir. *« Vu le rythme que nous voulons impulser, nous avons intérêt à travailler en symbiose »*, affirme le premier ministre en précisant : *« Nous arbitrons ensemble »*, ce qui est tout de même un peu présomptueux. *« Valls est un accoucheur de décisions, il aide Hollande à être un homme d'action »*, rectifie un conseiller.

Dans leurs longs tête-à-tête, tout est abordé, ce qui doit marcher et ce qui n'a pas marché. Manuel parle cash. Devant François, il pointe les *« deux erreurs majeures »* du tout début du quinquennat que les plus lucides, au gouvernement, n'ont pas été longs à repérer. La première : ne pas s'être emparé du rapport Migaud pour dire la vérité aux Français. La seconde : ne pas avoir tendu la main à Bayrou le centriste qui avait appelé à voter Hollande à titre personnel. La politique de l'offre aurait été tellement mieux assumée !

Valls ajoute bientôt à la liste une troisième erreur, la *« plus grosse »* à ses yeux : les hausses d'impôts, le matraquage fiscal pratiqué sans discernement, alors que la droite avait déjà forcé la dose. Valls cogne, d'autant plus critique avec l'héritage qu'il veut marquer une rupture, incarner le redressement, camper le mouvement. Hélas ! Il va vite déchanter.

Depuis l'annonce du pacte de compétition par le président, trois mois ont passé et tout s'est enlisé. Au lieu du choc annoncé, rien ne s'est produit. Le 4 mai, veille du deuxième anniversaire de son quinquennat, François le bienheureux a cependant renoué avec son antienne favorite : la croissance est de retour ! Dans *Le Journal du Dimanche*, le président annonce un *« retournement de conjoncture »* et claironne : *« On est entré dans la deuxième phase du quinquennat. Le redressement n'est pas terminé mais le retournement économique arrive. On fera des économies mais il y aura de la redistribution. »* L'épreuve des européennes approche. Il ne faut pas décourager Billancourt sauf que c'est de la blague.

En réalité, la France est au plus mal. Au moment où le nouveau premier ministre prend ses fonctions, Bercy a fait savoir que le pays ne tiendrait pas l'objectif des 3 % de déficit en 2015. L'absence de croissance se combine à présent avec une inflation proche de zéro, les impôts ne rentrent plus. Pour tenir la trajectoire, ce ne sont pas les 50 milliards d'euros d'économies annoncés et douloureusement ressentis qu'il faudrait réaliser, mais 70 milliards d'ici la fin du quinquennat. Refus indigné et complice de l'exécutif qui, pour panser les plaies, réduit l'impôt des contribuables les plus modestes de 5 milliards d'euros alors que l'État n'a pas le moindre sou pour le financer.

Valls assume de bon cœur mais y perd son latin. Il n'est plus l'homme du redressement mais le prince de la godille, celui qui veut tout soutenir en même temps, l'offre et la demande, tout en sachant que le cocktail ne suffira pas à contenir le nouveau « séisme » électoral qui s'abat le 25 mai 2014 sur le pays : le Front national sort grand gagnant du scrutin européen avec 25 % des suffrages, le Parti socialiste est loin derrière, humilié, à moins de 14 %. Au Parlement européen, le parti du président ne comptera plus que 13 élus, celui de Marine Le Pen en aligne 24. *« Le résultat ne correspond pas au rôle de la France, à son image, à son ambition »*, déplore François Hollande. À qui la faute ? Tout est illisible.

De l'autre côté des Alpes, Matteo Renzi, sorti victorieux de son bras de fer avec le populiste Beppe Grillo, pousse le contraste jusqu'à la cruauté. Lui n'a pas peur des réformes ! C'est bien simple, il veut tout abattre pour tout reconstruire. Un jour que Valls lui rend visite au palais Chigi, le jeune président du conseil – dix ans de moins que le Français – pousse une porte et lance : *« Tu vois, ça c'est la pièce des négociations sociales, eh bien c'est fini. »* L'ancien maire de Florence, venu du centre gauche, est la nouvelle coqueluche de la gauche européenne. Décomplexé, affranchi, jouant l'opinion contre les corps intermédiaires, il impose l'image du dirigeant qui n'a pas froid aux yeux, se moque des vieux clivages, tente de réveiller son pays perclus de rhumatismes en enjambant les fractures idéologiques, en réconciliant l'entreprise et l'État, en mariant l'Europe et la fierté nationale. Le rêve de Valls qui naguère proclamait son « *exigence de vérité* », défendait le « *socialisme de l'offre* », militait pour le « *déverrouillage* » des 35 heures, voulait la flexi-sécurité et même – eh oui – la suppression de l'impôt sur la fortune « *inutile car peu rentable* ».

Valls lui aussi gouverne, comme Renzi, mais très vite il n'est plus que l'ombre de lui-même. Ses amis ne le reconnaissent pas. Lui qui incarnait le mouvement fait du surplace, entravé par les prudences présidentielles et le jeu destructeur des frondeurs qui lui font tout payer en bloc : son passé trop droitier, les défaites électorales à répétition et la défiance à l'égard de ce président qui de scrutin en scrutin les mène au désastre.

À peine est-il nommé qu'ils ont surgi, un peu moins d'une centaine de sans-culottes en révolte contre l'autorité royale, éparpillés en quatre ou cinq chapelles concurrentes et plus ou moins radicalisés mais avec ce point commun de contester vigoureusement la politique de l'offre et, surtout, de ne plus vouloir « subir ». La revanche du Parlement contre l'exécutif ! Dès la fin de l'année 2012, Bruno Le Roux, le président du groupe socialiste, avait senti poindre le malaise chez les députés. « *Il y avait eu des interrogations sur le crédit d'impôt compétitivité-emploi, son montant, la façon dont le gouvernement s'y était pris »*, dit-il. Le député de Seine-Saint-Denis fait ce qu'il peut pour faire avaler la pilule. Chaque semaine le groupe reçoit des sociologues, des patrons, des syndicalistes, des économistes. Objectif : pédagogie. Mais l'accentuation de la « politique de l'offre », le changement de premier ministre, le profil beaucoup plus libéral de Manuel Valls attisent le feu. Aux extrêmes, ils sont au maximum 35 sur 290 à donner vraiment du fil à retordre à l'exécutif, mais quel bruit ! Le groupe est devenu le champ privilégié de la surenchère à gauche. Aucune discipline ne s'impose à eux. C'est le règne de la minorité agissante.

C'est nouveau, déconcertant : « *D'habitude au groupe, on se focalise sur les textes, pas sur les grands principes »*, constate un député. La faute au parti qui s'est complètement dévitalisé depuis l'élection de François Hollande. Un signe de plus de la décomposition. Les rebelles, eux, s'amusent, prennent goût au complot, rien ne les arrête. Ils élaborent des « contrats de gouvernement », signent des pétitions, bâtissent des plates-formes, transforment chaque vote en un insoutenable suspense. Votera, votera pas ? « *La droite ne nous pose pas le moindre problème, texte après texte nous nous créons des difficultés, c'est quelque chose d'insupportable »*, explose un jour Bruno Le Roux. « *J'en veux beaucoup aux frondeurs,* lancera un an plus tard Stéphane Le Foll qui fut longtemps l'horloger du PS, *car ce temps que nous avons passé à nous expliquer entre nous a été du temps perdu avec les Français. »* Mais cause toujours ! Rien ne peut les raisonner. « *Ce qui unit les frondeurs ? Le mépris pour Hollande ! C'est pour ça qu'on n'arrive pas à discuter avec eux* », lâche un soir, excédé, un ministre proche de Valls.

Au milieu d'eux, Christian Paul, député de la Nièvre, l'ancienne circonscription de François Mitterrand, tout un symbole. A priori, rien d'un excité. Il a été secrétaire d'État à l'outre-mer dans le gouvernement Jospin, a soutenu Ségolène Royal en 2007 avant de se rapprocher de Martine Aubry. Un jour, il s'en vient trouver Manuel Valls et lui dit tranquillement : « *Tu dois être le premier ministre qui s'appuie sur nous contre le président la République.* » Stupéfiant de voir à quel point les règles de la Ve République n'ont toujours pas été digérées !

L'ami Montebourg évidemment attise le feu, prêt à renverser la table en revendiquant une « *saine cohabitation entre le président de la République et le Parlement* ». Au milieu, Valls gère comme il peut entre deux séances de boxe. Il calme « Arnaud », reçoit les frondeurs à tour de bras, se rend devant le groupe, négocie, concède, à l'écoute des revendications et cependant toujours loyal au président. « *Mon rôle est de les rassurer, d'organiser une relation productive et efficace. Qu'il y ait des débats et des compromis, ça ne me gêne pas du tout à condition qu'on ne remette pas en cause la répartition ménages-entreprises dans les allègements de charges* », minimise le premier ministre. Est-ce si sûr ? « *Avec Valls, on a perdu 5 milliards d'euros* », soupire Pierre Gattaz, le patron des patrons qui profite du climat délétère pour repartir dans la surenchère.

À l'entrée de l'été, le gouvernement a perdu sur tous les tableaux. Le pacte de responsabilité est devenu le texte de la discorde. Au lieu de la confiance proclamée, la défiance généralisée. Les allègements de charges sont pour l'essentiel sauvés mais l'idée même de pacte est moribonde, tuée par les frondeurs, achevée par le patronat qui mégote la moindre contrepartie. La CFDT exaspérée menace de ne plus rien soutenir, Valls décroche dans les sondages. Lorsque, à la rentrée de septembre, le livre de Valérie Trierweiler éclate comme une bombe, achevant de détruire le peu de présidentialité qui restait au président, Valls le sauveur est tout près de penser que cette fois « *c'est foutu* ».

XV.

Une réforme bâclée

Celle-là, ils ne l'ont pas vue venir. Et pourtant. Depuis quelque temps déjà, en petit comité, le roi casse du sucre sur le dos des élus. Il les trouve trop nombreux, pense qu'il faut alléger « *le millefeuille* », réduire le nombre des régions et peut-être un jour aussi le nombre des députés. « *Moins d'élus, moins de gaspillage, les Français le demandent* », insiste François Hollande à qui il ne déplairait pas de s'imposer à l'heure de la défiance politique comme le grand courageux qui aura nettoyé la démocratie de ses scories. « *Il ne se rend pas compte que cela les rend fous* », soupire un ministre qui recueille ses confidences. Et un jour, boum : l'annonce. « *Il faut mettre un terme aux enchevêtrements et doublons* », assène le président lors de sa conférence de presse du 14 janvier 2014 comme un grand coup de pied dans la fourmilière.

La réforme territoriale est lancée. L'effet de surprise joue à plein. François Hollande se régale. Il n'est plus le social-démocrate prudent, précautionneux qu'on moquait. Il est le grand révolutionnaire qui veut changer le visage de la France. « *À presque mi-quinquennat il s'est rendu compte que son mandat lui filait entre les doigts »*, commente un intime. Valls est là qui épaule le président, l'aide, l'aiguillonne, le stimule, le pousse dans ses retranchements, non sans relever tout le piquant de la situation. *« C'est curieux, c'est le paradoxe de la situation, c'est quand on est dos au mur qu'on peut faire les réformes. »*

Le mouvement crée le mouvement. Bientôt, il n'est plus seulement question de réduire le nombre des régions pour en faire de plus grandes, capables de rivaliser avec leurs concurrentes allemandes. Il faut aussi supprimer le département. Oui, le département ! L'héritier de la Révolution, dessiné en un temps record par l'Assemblée constituante en 1789 avec l'aide de géographes avertis. 83 avaient été délimités à partir d'une belle trouvaille : le principe de proximité. Quel que soit le point où l'on se trouvait, il fallait pouvoir se rendre au chef-lieu en une journée de cheval maximum. C'était si bien vu que cela avait tenu trois siècles ! Et d'un coup plus rien. *« Les conseils généraux ont vécu, il n'y a plus de temps à perdre »*, s'exclame François Hollande le 6 mai.

« Abasourdis », *« consternés »*, les patrons des conseils généraux encaissent le coup. Ils ne reconnaissent plus « leur » François. Où est donc passé l'ancien président du conseil général de Corrèze ? Celui qui prenait plaisir à arpenter son département en vantant l'égalité et la proximité ? Ne voit-il donc pas que la France rurale souffre d'abandon, que le Front national est en embuscade ? Qui lui a donc tourné la tête, lui qui, lors de ses vœux à Tulle, s'était déclaré hostile à la disparition du département ?

Le sénateur communiste Christian Favier qui dirige le Val-de-Marne a sa petite idée. Il décrit le président sous l'emprise des « *attentes du patronat et des marchés financiers* ». Tout aussi abasourdi, le radical de gauche Jean-Yves Gouttebel préfère mettre en accusation le « *boboïsme parisien devenu le lobby omniprésent* ». En réalité, c'est du côté de Bruxelles qu'il faut aller chercher. À défaut d'obtenir une preuve tangible que les déficits se réduisent au rythme prévu, la Commission européenne a exigé des réformes, et comme François Hollande refuse de toucher à la sécurité sociale, comme il ne veut pas s'attaquer au marché du travail, comme il pense être allé au bout de ce que l'État peut supporter en termes d'économies, sus aux élus ! Et tant pis s'ils résistent et tant mieux même si cela s'entend. « *Réformer de la première à la dernière heure du quinquennat* », proclame le roi qui veut désormais en mettre plein la vue.

Il a de quoi faire ! Sans être aussi complexe que l'assemblage de provinces, pays, villes, diocèses et juridictions qui caractérisait la France de l'Ancien Régime et où foisonnaient exceptions et privilèges, le « mille-feuille » dont hérite François Hollande est particulièrement boursouflé. Il compte 36 000 communes, 2 600 communautés de communes, 100 départements, 22 régions métropolitaines et quelques grandes villes. Qui dit mieux ? Chaque collectivité jouit de compétences propres, mais au nom de la libre administration toutes peuvent s'autosaisir sur leur territoire de celles qu'elles n'ont pas. L'État applique sur le tout un contrôle tatillon à travers les préfets et les services ministériels déconcentrés. Il en résulte, pour chaque action, une multiplication d'intervenants et une avalanche de textes réglementaires qui rendent l'action publique de plus en plus ubuesque : « *Sur la politique du logement,* récapitule un élu, *il faut compter avec l'État, l'ANRU, l'ANAH, la région, l'intercommunalité, le préfet de région, le préfet de département sans compter des dizaines d'associations.* »

Chaque collectivité a bien sûr créé sa propre administration, si bien que les fonctionnaires territoriaux sont désormais 1,8 million, représentant un tiers des effectifs publics. D'année en année, leur nombre augmente, alourdissant les frais de fonctionnement qui représentent près de 75 % du total des dépenses des collectivités locales et leur laissent moins d'un tiers pour investir. Longtemps, l'État a couvert cette folie mais, aux abois, il a décrété 11 milliards d'euros de coupes dans les subventions aux collectivités locales. Plus moyen de reculer. Le dynamitage s'impose. Simplement, rien n'a été préparé en amont. Le chantier le plus fou du quinquennat s'ouvre dans l'improvisation la plus totale.

La fièvre révolutionnaire a saisi François Hollande alors qu'il n'est plus qu'à 18 % de popularité. Normal, il n'a plus rien à perdre. C'est ce que lui ont répété ceux qui lui veulent encore du bien. À l'automne, son ami André Vallini qui se languit hors du gouvernement lui a envoyé un mail : « *Tu n'as plus rien à perdre, fonce ! Vas-y.* » Sur le moment, François n'a pas réagi, mais quelque mois plus tard, l'ami André est nommé secrétaire d'État à la réforme territoriale avec pour mission de simplifier le millefeuille en faisant miroiter à terme « *10, 12 milliards d'euros d'économies* » parce que c'est ce que les Français réclament.

Ancien président du conseil général de l'Isère, Vallini a développé sur ses terres d'intéressants schémas de simplification. Politiquement, il a l'avantage d'être un très proche du président. Dans ce dossier ultrasensible, il va doubler Marylise Lebranchu, la ministre de la décentralisation, une Bretonne téméraire, réputée proche de Martine Aubry qui n'a pas mis un an à s'enliser. Soumise aux injonctions contradictoires du palais qui décide tour à tour de rétablir la clause de compétence générale supprimée par Nicolas Sarkozy pour ensuite la rétablir, en butte aux multiples pressions des élus, elle a dû, la malheureuse, retirer en catastrophe le projet de loi qu'elle avait présenté en avril 2013 pour le découper en trois. « S*i on était resté sur le texte d'origine, c'était l'enlisement au bout de six mois* », assure un sénateur socialiste. À chaque recul, Marylise serre les dents et murmure : « *Je suis un bon petit soldat.* » Jamais pourtant elle n'a songé à démissionner.

Là, tout de même, le président y va fort. Et sans prévenir. Quel revirement ! Pour se faire élire, il n'avait même pas fait semblant d'être sérieux. Il avait tout promis et à tous les élus ! Du maire le plus modeste au plus grand baron régional, tous avaient reçu l'assurance d'être reconnus et confortés. Le candidat était même allé jusqu'à promettre de nouveaux moyens aux départements, l'échelon le plus menacé à cause du poids des dépenses sociales. Jamais le renvoi d'ascenseur entre l'ancien premier secrétaire du PS et la France rose qu'il avait fait prospérer lors de son long règne rue de Solferino n'avait été aussi évident. Mais à présent que tout prend l'eau – le socialisme municipal, départemental, régional –, plus besoin de prendre des gants. Le roi tente de sauver sa peau sur le dos de ceux qui l'ont fait roi.

Un réflexe de survie quasi pavlovien. Au même moment de son quinquennat, Nicolas Sarkozy avait eu exactement la même attitude. Alors que l'UMP venait de subir une lourde défaite aux élections municipales et cantonales, lui aussi avait déclaré la guerre au millefeuille dans un contexte similaire de crise des finances publiques : « *Nous irons jusqu'au bout ! Nous ne nous déroberons pas devant la réduction du nombre des élus régionaux et départementaux* », avait-il lancé en juin 2009. Lui non plus n'était pas convaincu que le département avait encore sa raison d'être, mais éminemment conscient des risques de fronde, il avait trouvé une astuce pour l'effacer discrètement : il avait créé un nouvel élu, le conseiller territorial, chargé de siéger au département et à la région, ce qui, espérait-il, favorisait le rapprochement et à terme la disparition.

En aparté, beaucoup de socialistes concèdent aujourd'hui que c'était la bonne réforme, mais elle venait de l'épouvantail Sarkozy ! Il fallait donc l'abolir et trouver autre chose. Lorsque le président du Conseil constitutionnel, Jean-Louis Debré, découvre que François Hollande, Manuel Valls et le gouvernement ont décrété la mort du département, les bras lui en tombent. N'ont-ils pas réalisé ces amateurs qu'il faut une réforme constitutionnelle pour en venir à bout ! « *À quoi bon agiter des chiffons rouges quand il n'y a pas de majorité pour les voter ?* » gronde-t-il. Le fils de Michel Debré a beau être indulgent, ce n'est pas la première fois qu'il est abasourdi par le degré d'improvisation de l'équipe qui a pris en 2012 les manettes du pays !

Pendant ce temps, la résistance évidemment s'organise. Du fin fond du Puy-de-Dôme, Jean-Yves Gouttebel a décrété le « *territoire en danger* », « *la République menacée* ». Au côté de ses collègues de l'Association des départements de France, le radical de gauche entame une sourde et très efficace bataille contre les « *liquidateurs d'un pilier de la République* » qui se clôt six mois plus tard par un tête-à-tête tendu dans le bureau du président de la République.

Jean-Michel Baylet a rendez-vous avec François Hollande. Le patron du Parti radical de gauche n'est pas d'humeur à plaisanter. L'héritier de *La Dépêche du Midi* vient de se faire battre aux sénatoriales, dans son fief du Lot-et-Garonne, après dix-neuf ans d'un règne qui semblait ne jamais devoir se finir. Il a tout de la bête blessée. Avec son accent rocailleux, il vient expliquer au président les raisons du divorce. Il ne comprend plus rien à la politique gouvernementale. Qu'ont donc fait les élus locaux pour mériter pareil traitement ? Si le département disparaît, qui s'occupera des petites gens, des petits vieux qui se sentent déjà trahis ? Après les Verts, il menace à son tour de faire sécession : les trois ministres radicaux quitteront le gouvernement si un nouveau pacte gouvernemental n'est pas conclu. Et bien sûr, il gagne sur toute la ligne.

Le 6 novembre 2014 à Pau, Manuel Valls mange son chapeau. Devant le congrès de l'Association des départements de France, celui qui voulait la mort du département annonce son maintien. *« Le pays a besoin de cet échelon intermédiaire, même s'il doit évoluer »*, concède le premier ministre qui n'est pas au bout de ses peines. Au terme de la discussion parlementaire, non seulement le département survit mais il conserve la gestion des collèges et des routes départementales qui devaient aller à la région. Une fois de plus le lobby départementaliste a démontré sa redoutable efficacité : UMP, PC, même combat !

Reste cependant le morceau le plus gros, le plus visible, le redécoupage régional. Cet exercice-là, François Hollande ne laisse à personne d'autre que lui le soin de le mener. Quoi de plus explicite qu'une belle carte pour démontrer qu'en France, sous son règne éclairé, les choses bougent ? L'objectif, au demeurant, est louable : fusionner des régions pour leur donner *« une taille européenne »* et leur permettre de *« bâtir des stratégies territoriales »*. Vaste ambition qui marque une rupture tangible avec l'héritage de François Mitterrand. Lorsqu'en 1982 son premier ministre, Pierre Mauroy, lui avait présenté une carte de 16 régions, Mitterrand en avait tracé 22 comme pour mieux émietter leur pouvoir. *« Toute sa vie, il a joué le département contre la région parce qu'il pensait que la région menaçait l'unité nationale »*, témoigne Michel Charasse, son ancien conseiller. L'ancien président connaissait son histoire : l'âpre lutte centralisatrice qu'avait menée le pouvoir royal contre les baronnies régionales.

Son successeur, lui, prend l'option contraire : passer de 22 régions à 14. Après tout, pourquoi pas ? L'État est exsangue, il n'a plus les moyens de bien faire partout. L'idée de laisser s'exprimer les territoires, de construire des pôles régionaux autour de métropoles connectées au monde est tentante. Des villes comme Lyon, Bordeaux, Lille n'ont-elles pas connu un spectaculaire développement depuis les lois de décentralisation de 1982 ? On imagine donc, comme sous la Constituante, une armada de géographes et d'économistes mobilisés pour parvenir à la meilleure articulation possible entre la métropole et l'arrière-pays. Que nenni ! L'affaire est strictement politique : sur les 24 présidents de région, 23 sont de gauche et 20 portent l'étiquette PS. François Hollande est redevenu le premier secrétaire du Parti socialiste.

À 19 heures, ce lundi 2 juin 2014, le président est enfermé dans le salon vert qui jouxte son bureau. À ses côtés, Manuel Valls, Bernard Cazeneuve, Marylise Lebranchu, André Vallini et quelques conseillers. Sur la longue table ovale, une grande carte a été déployée, qui ne vient pas de nulle part : sous le précédent quinquennat, les commissions Attali et Balladur avaient travaillé dans un relatif consensus au redécoupage régional. André Vallini avait participé aux travaux de la commission Balladur en tant que député. Ces derniers jours, en tête à tête avec son premier ministre, le président a arbitré l'essentiel. Ne restent plus que quelques frontières à figer. *« On a*

189

regardé la carte d'ensemble, on s'est demandé s'il y avait des ensembles trop gros, des régions trop seules », commente un participant. Dehors, la presse régionale attend, en ébullition : le service de presse de l'Élysée lui a promis pour ses éditions du lendemain matin une tribune signée du président de la République. Ce n'est pas tous les jours que cela arrive.

Les minutes s'égrènent, aucune fumée ne sort de l'Élysée. Dans les rédactions, la tension monte. 21 heures sonnent. Toujours rien. *« Tant pis, on boucle. »* Acculé, l'Élysée se décide enfin à envoyer le texte. Le titre se veut offensif : *« Réformer les territoires pour réformer la France »*, mais lorsque les confrères parcourent le texte aussi vite que leurs yeux le leur permettent, ils découvrent, consternés, qu'on les a bernés. Il manque l'essentiel, la substantifique moelle. À la place du nombre des régions un XXX. Ils n'en reviennent pas ! *« Un raté dramatique »*, commente, effondré, un ministre.

Dans le salon vert, François Hollande, pendu à son portable, a perdu la notion du temps. Il est en train de rejouer la longue nuit des résolutions, celle qui clôt les congrès socialistes lorsque les représentants de chaque motion viennent défendre leur bout de gras avant la synthèse. Chaque fois qu'une décision est en passe d'être prise, il s'éclipse dans son bureau pour téléphoner et tenter de calmer un baron en colère. Il a fort à faire. Le plus vindicatif est Jean-Marc Ayrault, son ancien premier ministre, qui a la désagréable impression de servir de bouc émissaire depuis qu'il a été écarté de Matignon.

L'ancien maire de Nantes est un passionné de décentralisation. Il pense que le développement de l'attractivité passe par l'essor conjoint de la métropole et de la région, la première irriguant la seconde. Mais depuis qu'il a quitté le gouvernement, on s'ingénie à défaire tout ce qu'il a entrepris : la preuve ? « *Ils* » veulent marier sa région, les Pays de la Loire avec Poitou-Charentes, ce qui, s'indigne-t-il, aurait pour effet de reléguer la métropole Nantes, sa ville, « *dans un cul-de-sac* ». « *Ça n'a pas de sens* », fulmine-t-il, la tête entre les mains. Il est tellement en colère qu'il tient prêt un communiqué dans lequel il dénonce le rôle pernicieux des « *jeux d'influence* ». Heureusement que François Hollande a des espions partout !

Alerté par des proches, le président de la République téléphone pile au bon moment à son ancien numéro deux pour faire retomber la fièvre : les Pays de la Loire resteront indépendants. Ainsi en a décidé le roi. Ayrault cependant n'est qu'à demi satisfait. Comme beaucoup d'élus du coin, il plaidait pour le rapprochement de sa région avec la Bretagne, mais le ministre de la défense Jean-Yves Le Drian ne veut pas en entendre parler. Lui défend mordicus l'identité bretonne, dit redouter une nouvelle poussée de fièvre des bonnets rouges en cas de fusion. Têtu, il ne lâche pas l'affaire. Il sait qu'à l'Élysée Bernard Poignant, un Breton comme lui, défend la thèse inverse, que Marylise Lebranchu n'est pas non plus sur ses positions et que Manuel Valls pour une fois tergiverse. Il connaît son François qui jusqu'au bout hésite, comme d'habitude. Donc, il assure ses arrières. Dans le huis clos de l'Élysée, André Vallini reçoit de lui un ultime texto : *« Je compte sur toi pour la Bretagne ! »*

La nouvelle carte ne compte plus que 14 régions, censées *« soutenir les entreprises, porter les politiques de formation et d'emploi, intervenir en matière de transports »*, ainsi que l'explique le président de la République. Mais en la regardant, l'évidence saute aux yeux : c'est une carte du tendre socialiste qui dit tout du rapport de force. Le Drian sort grand vainqueur : la Bretagne reste seule. Aubry est ménagée qui ne voulait en aucun cas de la fusion Nord-Pas-de-Calais, Picardie par crainte de donner des ailes au Front national : François Hollande a tenu personnellement à rassurer sa vieille ennemie de la primaire. Ségolène Royal souffre de la faveur faite à Jean-Marc Ayrault : elle plaidait pour un rapprochement entre Poitou-Charentes et les Pays de la Loire et tord le nez lorsqu'elle voit la région qu'elle présidait mariée avec le Centre et le Limousin qui sont bien moins riches et beaucoup plus enclavés. Les autres, impuissants, ont regardé passer les trains. Le cœur gros, certains peaufinent déjà la contre-attaque, la bataille ne fait que commencer.

Six mois plus tard, la carte définitive qui sort des longues nuits de débats à l'Assemblée nationale n'est plus exactement celle de l'édit royal : le nombre de régions a été ramené à 13, révélant de nouveaux rapports de force : Ségolène Royal, en connivence avec Alain Rousset, le baron aquitain, a fait ce qu'il fallait pour que Poitou-Charentes change de partenaire, abandonne le Centre et convole avec la bien plus attractive Aquitaine. Champagne-Ardenne se voit mariée avec l'Alsace et la Lorraine contre l'avis de l'Alsace qui compte pour du beurre et pour cause : le patron du conseil régional a le malheur d'être UMP ! Mais ce qui retient l'attention des médias, c'est ce qui se passe au Nord : l'humiliation faite à Martine qui croyait avoir assuré ses arrières avec François Hollande et se voit imposer la fusion Nord-Pas-de-Calais, Picardie, Champagne-Ardenne.

Depuis le début du quinquennat, la maire de Lille boudait sous son beffroi. Cette fois, elle explose, convoque une conférence de presse, fulmine : « *Deux régions pauvres n'ont jamais fait une région riche.* » Elle est persuadée que ce mauvais coup vient de son ennemi juré, Manuel Valls. N'est-ce pas l'un des fidèles du premier ministre, Carlos Da Silva, qui rapporte le projet de loi ? « *On a réveillé l'ours* », déplore un ministre. « *Je n'ai reçu aucune consigne selon laquelle il ne fallait rien bouger dans le Nord-Pas-de-Calais* », se dédouane Bruno Le Roux. Les proches de Valls plaident non coupables : « *Les Picards voulaient la fusion, le Pas-de-Calais aussi, le Nord s'est retrouvé isolé* », jurent-ils la main sur le cœur – mais la maire de Lille n'en démord pas, le premier ministre a voulu lui faire un coup vache. Elle se vengera.

La réforme territoriale a échappé à son géniteur. Mal née, elle n'est désormais plus qu'un marchandage entre grands barons qui déploient tout leur talent dans l'enceinte du Parlement, pour tirer à eux les nouvelles compétences. Gérard Collomb s'y révèle le plus efficace. Cela fait belle lurette que le sénateur-maire de Lyon a compris qu'avec un État à bout de souffle, la métropole et la région se trouvaient de facto en concurrence pour prendre l'ascendant économique sur le territoire. À Lyon, sous son égide, le département du Rhône a déjà fusionné avec la ville devenue le pôle d'attraction de toute la région. Collomb croit au pouvoir des métropoles ; il voit que, depuis le début du quinquennat, l'exécutif n'a aucune ligne directrice. *« À un moment il a été question de donner tout le pouvoir à la métropole, à un autre moment, ils ont voulu tout donner à la région »*, souligne-t-il. À la tête de l'Association des communautés urbaines et métropoles de France, il mène une très efficace bataille dans la seule enceinte qui compte lorsqu'il s'agit de décentralisation : le Sénat et il obtient satisfaction. *« La métropole est en pointe sur tout ce qui est innovation, université, recherche »*, se réjouit-il.

Alain Rousset, l'autre grand féodal du Parti socialiste, est moins chanceux. À la tête de l'Association des régions de France, le duc d'Aquitaine s'est battu comme un beau diable, avec quelques alliés, pour tenter d'arracher à l'État la politique de l'emploi : 3,5 millions de chômeurs, plus de 5 millions de personnes subissant un temps partiel valaient bien ce combat. *« Les régions ont déjà le développement économique, l'apprentissage, l'orientation, il est logique d'aller jusqu'au bout de la chaîne et de leur confier l'emploi »*, fait valoir René-Paul Savary, le sénateur UMP enrôlé pour défendre cet article. Alain Rousset enfonce le clou, dénonce *« l'émiettement entre Pôle emploi et les centaines d'organismes présents dans nos territoires »*. Peine perdue, l'État, tout à son inefficacité, ne veut rien lâcher au nom de la sacro-sainte unité du territoire. Coincée entre la métropole et le département qui survit, la région a gagné en taille mais reste un nain politique. *« Il lui manque un vrai pouvoir normatif et d'autres missions de décentralisation »*, constate Thierry Mandon, à l'époque secrétaire d'État à la réforme de l'État qui, lui, s'est donné pour mission d'alléger et de dynamiser les services de l'État sur le territoire. Bon courage !

« Il faudra dix ans pour que les choses se décantent », reconnaît, lucide, André Vallini qui n'ose plus claironner comme au début que la réforme permettra de faire *« 10, 12 milliards d'économie »* et pour cause : *« La création de grandes régions allant de la Creuse jusqu'à Pau oblige à maintenir le département, ne simplifie rien et coûte plus cher »*, fulmine Alain Juppé qui juge le schéma d'ensemble *« sans queue ni tête »*. La réforme souffre de tous ses vices de fabrication : elle est venue trop tard, a été bouclée trop vite, au point de paraître mort-née exactement comme celle de Nicolas Sarkozy avant et pourtant... François Hollande a été plus malin, il a tout verrouillé avec le scrutin régional de décembre 2015 qui consacre le redécoupage. Du FN au moindre groupuscule d'extrême gauche, chaque parti a investi ses candidats sans émettre la moindre protestation. *« Bonne chance à qui voudra revenir en arrière »*, souligne Philippe Vigier, le président du groupe UDI à l'Assemblée nationale. D'autant qu'en mai 2015, le président de la République a trouvé un nouvel allié de poids dans sa bataille toujours renouvelée contre Nicolas Sarkozy : Gérard Larcher. Le président du Sénat lui a prêté main-forte en défendant publiquement le statu quo : *« Les élus locaux n'en peuvent plus des changements incessants, ils ont besoin de*

stabilité », a mis en garde le grand élu du haut de son fauteuil en déconseillant fortement au prétendant à la succession de *« tout recasser »*.

Du coup, la réforme la plus folle du quinquennat a une chance non négligeable de survivre à ses défauts. Il suffisait d'oser.

XVI.

« Flanby » les a tous tués

Ils auraient dû se méfier. Ils l'avaient déjà tellement pratiqué, tellement méprisé, tellement affublé de tous les noms pour exprimer tous les degrés de leur mépris : *« fraise des bois »*, *« Guimauve le conquérant »*, *« capitaine de pédalo »*, *« Flanby »*... mais *« Flanby »* avait gagné et eux n'avaient pas eu d'autre choix que de se ranger derrière lui. Et maintenant tout recommence. C'est plus fort qu'eux, le mépris est plus fort qu'eux.

Arnaud Montebourg le reconnaît. Il s'en amuserait presque lorsque lundi 25 août 2014, brusquement dégrisé de cette délirante *« cuvée du redressement »* qui vient de lui coûter son poste, feu le ministre de l'économie pousse la porte du bureau de Manuel, son ami, au premier étage de l'hôtel Matignon et lance : *« C'est mon subconscient qui a parlé »* entre deux couplets de *« The End »*, la chanson culte de Jim Morrison. Montebourg ne croit pas si bien dire. Le rideau vient de tomber. Fin de la tragicomédie. Les choses sérieuses commencent.

C'est un petit meurtre à la Hollande, sans couteau ni effusion de sang. Il fallait juste que la situation se décante et pour cela que lui-même tombe très bas. C'est chose faite. En cette fin d'été 2014, plus personne ne mise un euro sur le président. Même les hollandais ont le blues. Un dîner les a rassemblés juste avant la trêve estivale. Autour de la table, Jean-Yves Le Drian, Stéphane Le Foll, François Rebsamen, André Vallini ont, à mots à peine couverts, exprimé des doutes sur le tournant du quinquennat, la politique de l'offre voulue par le président et désormais défendue à Bercy par leur ami Michel Sapin, le ministre des finances et des comptes publics. Celle-ci fragmente de plus en plus la gauche sans donner de résultats. Dangereux. Les députés ne sont plus les seuls à fronder. La réduction des dotations aux collectivités locales – 11 milliards d'euros d'ici 2017 – menace directement l'investissement public. Elle est en train de rendre fous les derniers maires socialistes.

Au gouvernement, aussi, l'ambiance se tend. Le 10 juillet, sous couvert de présenter le futur projet de loi sur la croissance et le pouvoir d'achat, Arnaud Montebourg est reparti à la charge contre la Commission européenne et ses 3 %. Pour la première fois, le ministre de l'économie a publiquement défendu les « *trois tiers* », son plan de relance pour la France, qu'il ne cesse de réclamer en privé au président depuis sa nomination. Inquiet des échos qui remontent du Parti socialiste, Benoît Hamon se fait lui aussi de plus en plus pressant. Le ministre de l'éducation nationale veut une mesure de soutien au pouvoir d'achat. Il presse « Manuel » de la mettre à l'étude. Pas de réaction !

Le président lui-même semble découragé. Pour la première fois depuis son élection, il n'annonce pas le retour imminent de la croissance lors du dîner annuel de la presse présidentielle qui se tient le 21 juillet. Il admet au contraire qu'il « *n'est pas impossible* » que celle-ci « *puisse encore s'affaiblir* ». Deux ans ont passé et le quinquennat est désespérément enlisé.

C'est dans cette ambiance de grande détresse que Jacques Attali, jamais à court d'idées, vient vendre à l'exécutif l'ultime coup de poker : trois points de hausse de TVA pour enrayer les risques de déflation et soutenir la croissance ! L'ancien sherpa de François Mitterrand connaît parfaitement les réticences de la gauche sur cet impôt. Le PS l'a toujours considéré comme très injuste parce qu'il est proportionnel au lieu d'être progressif et frappe donc autant les petits que les gros portefeuilles, mais Attali ne manque pas d'arguments. L'inflation est tellement basse que les entreprises absorberont le choc sans faire flamber les prix. Quant à l'État, il retrouvera illico des marges de manœuvre pour pousser les feux de la croissance. « *Un tiers des recettes obtenues servirait à muscler le plan de compétitivité, un autre tiers permettrait de poursuivre la réduction du déficit, le reste à soutenir le pouvoir d'achat des ménages* », fait valoir l'économiste. Ce n'est somme toute pas très éloigné de ce que suggère Montebourg. Le plan a un autre avantage : il équivaut à une dévaluation fiscale parce que la hausse de la TVA a pour effet de renchérir le coût des produits importés par rapport à celui des biens exportés.

Manuel Valls dresse l'oreille. Contrairement à ses camarades, le premier ministre n'a jamais eu de prévention contre la TVA. En pleine primaire, il avait même osé défendre la TVA sociale à la barbe de ses concurrents. Son ami Jean-Marie Le Guen, d'obédience strauss-kahnienne lui, est emballé. Le secrétaire d'État chargé des relations avec le Parlement y voit l'habile moyen de donner du grain à moudre aux troupes qui désespèrent. Il pousse les feux. La mesure est mise à l'étude, dans le plus grand secret mais dans des proportions un peu réduites : ce ne sont plus trois mais deux points de hausse de TVA qui sont moulinés par les ordinateurs de Bercy. Mais le 15 août, le plan sauvetage du quinquennat s'échoue sur les rochers du fort de Brégançon.

Le président de la République a convié dans sa résidence d'été son premier ministre pour un déjeuner en tête à tête afin de préparer la rentrée. Le soleil a beau taper fort, le président refuse de se laisser tourner la tête : la hausse de la TVA a le malheur de brouiller la promesse de pause fiscale qu'il a solennellement faite aux Français. Elle ressemble en outre à s'y méprendre à ce que voulait faire Nicolas Sarkozy avant d'être battu. Rédhibitoire.

Le 20 août, lorsque François Hollande annonce dans un entretien au *Monde* qu'il « *garde le cap* » en rejetant « *toute godille, tout zigzag* », Montebourg a compris. Les « trois tiers » sont partis en fumée, son plan est rejeté. Il n'y a plus rien à attendre de ce président qui, fulmine-t-il devant ses proches, « *ne cesse de créer des chômeurs et de pousser nos électeurs dans les bras du FN* ». Ce sera donc la guerre. Le lieu est tout trouvé : Frangy-en-Bresse, une paisible bourgade de Saône-et-

Loire où l'élu bourguignon a coutume de compter ses troupes lors d'une fête de la rose, juste avant les universités d'été du Parti socialiste. Une façon de marquer avant tous les autres la rentrée politique.

Les agapes sont prévues le dimanche. Signe qu'une offensive se prépare, les députés frondeurs ont été invités. Le camarade Hamon sera là aussi, qui prononcera un discours. En attendant, Montebourg s'échauffe dans l'enceinte gouvernementale, profitant de chaque réunion pour planter ses banderilles. Le mardi, un séminaire gouvernemental de rentrée a été convoqué à Matignon. Devant ses collègues, le ministre au sang chaud lance une nouvelle charge violente contre Bruxelles et l'Allemagne et appelle dans la foulée à un changement de politique économique. Cette fois, ce n'est pas Laurent Fabius qui lui répond mais Valls en personne : « *Ce n'est pas possible* », lance froidement le premier ministre qui poursuit : « *Arrête ! L'euro baisse et on n'atteindra pas les 3 %* », ce qui est la stricte vérité : la France s'apprête à invoquer devant la Commission européenne « *la faible croissance et la très basse inflation* » qui constituent à ses yeux une « *circonstance exceptionnelle* » pour interrompre la réduction des déficits et appeler à « *la flexibilité* » dans l'application du pacte de stabilité. Pas glorieux, mais c'est ce que réclamait le ministre de l'économie. Il devrait être content.

Eh non ! Le lendemain en plein conseil des ministres, Montebourg récidive : de nouveau, il réclame un changement de ligne. Le ton est emphatique, grandiloquent, limite à l'égard du chef de l'État. De nouveau, Valls intervient : « *Un ministre du gouver-*

nement ne peut pas prôner une autre politique économique. » Le malaise s'installe autour de la table.

Quelques heures plus tard Montebourg est reparti à l'offensive. Cette fois muni d'un épais document de travail, il tente de convaincre Ségolène Royal de lancer la production de gaz de schiste pour obtenir une énergie bon marché, comme aux États-Unis. Un tabou absolu pour les Verts. François Hollande avait dit non.

Le jeudi aurait dû ressembler à une trêve. Pour des raisons personnelles, le ministre de l'économie a décidé de sécher le séminaire gouvernemental sur l'attractivité qui se tient à Matignon mais Aurélie Filippetti est là, nerveuse elle aussi. Lorsque Laurent Fabius prend la parole, la ministre de la culture se hérisse. La fille de mineur n'a jamais porté dans son cœur ce grand bourgeois parisien qui aime faire la leçon parce qu'il a été premier ministre, mais cette fois, c'est trop : l'ode au libéralisme que le ministre des affaires étrangères prononce devant cet aréopage d'hommes et de femmes de gauche la choque. Comment peut-il égrener les unes après les autres toutes les faiblesses françaises en reprenant l'antienne de la droite ? La fiscalité trop élevée, le code du travail trop complexe, les seuils sociaux, les 35 heures, avant de pousser les feux sur le travail du dimanche ? À un moment, elle n'y tient plus : *« Si cela continue comme ça, il va falloir s'excuser d'être de gauche dans ce gouvernement »*, grince-t-elle. Furieux, Valls la recadre. Une guerre de tranchées est en train de s'installer en plein cœur du gouvernement.

« *Fais gaffe à Frangy.* » Manuel a pris son ami Arnaud en tête à tête. Une conversation apaisée le soir, pour tenter d'éviter l'irréparable. Le Premier ministre raconte : « *À Frangy tu peux parler d'un changement de politique en Europe, pas en France.* » Arnaud reste flou, dit qu'il va réfléchir et le samedi la bombe explose. Dans *Le Monde*, le ministre de l'économie appelle à l'autre politique que le président de la République a rejetée trois jours plus tôt dans le même journal ! « *La société est exaspérée. Il faut l'écouter, l'entendre et répondre à ses demandes. Beaucoup de parlementaires le ressentent. Il est grand temps de réagir* », écrit Montebourg le kamikaze. Valls encaisse. D'autant plus mal que le dimanche matin, c'est Benoît Hamon qui sort à son tour du bois en distillant suffisamment de confidences au *Parisien* pour que le quotidien titre sur une pleine page : « *On n'est pas loin des frondeurs.* »

Lorsque se jouent les prémices du drame, François Hollande est une fois de plus dans les airs, de retour d'une tournée dans l'océan Indien. Manuel Valls, lui, est en Normandie où il est venu assister à Caen aux Jeux équestres mondiaux en compagnie de deux élus normands, Bernard Cazeneuve et Laurent Fabius. Le premier ministre est ensuite allé dormir à Cabourg avec son épouse Anne. Il lui plairait de profiter de son dimanche pour souffler un peu d'autant que son chien Homère, qui accompagne le couple, est malade et vit ses dernières heures mais il est inquiet. Il sent le mauvais coup. Hamon a bien répondu au SMS comminatoire qu'il lui a adressé – « *il faut que tu rectifies* » – en minimisant : « *C'était des propos off, ils ont été déformés.* » Défense classique à défaut d'être crédible, mais Montebourg, lui, ne répond pas. Son portable dort au fond du coffre de sa voiture. Il fait le mort. Mauvais signe. Le premier ministre hâte donc son retour et c'est de son domicile parisien du XIe arrondissement, devant son poste de télévision, qu'il assiste à la scène qu'il pensait ne jamais voir : son ministre de l'économie en jean et bras de chemise, une bouteille de bourgogne blanc à la main, l'air un brin éméché, qui s'amuse à *« faire sauter les bouchons »* avec *« ses gars »* et propose d'envoyer une caisse de *« la cuvée du redressement »* au président de la République. Non, pas ça, Arnaud !

Arnaud est allé trop loin. Il ne le réalise pas encore. À Paris, les téléphones chauffent. *« Ça ne peut pas durer, il y a un problème de cohérence »*, conviennent en chœur le président et son premier ministre qui prévoient de se retrouver le lendemain matin. La nuit porte conseil. Rien n'est encore acté. De nouveau, Valls actionne son portable, cherche à joindre le rebelle. Chou blanc. Le Guen s'y met aussi. Montebourg est un ami. *« Les bras m'en tombent, je suis d'une tristesse infinie »*, lâche le ministre sur le répondeur de l'absent qui fait le mort comme pour mieux laisser la vedette au deuxième tweet vengeur du quinquennat, celui d'Aurélie Filippetti devenue la compagne de Montebourg – mais à l'époque peu le savent – et qui a lancé en début de journée un hardi : *« Je souhaite une belle journée à Frangy à Montebourg et à Hamon. »* Valls est furieux.

Aurélie est une amie, il l'a aidée pendant l'été à préserver son budget et à gérer la fronde des intermittents du spectacle et voilà. « *Bonnie and Clyde* », soupire-t-il, anéanti. Des hors-la-loi ! En fin d'après-midi, une dépêche tombe sur le fil AFP : « *Une ligne jaune a été franchie* », le premier ministre est « *décidé à agir* ». Valls a retrouvé ses réflexes de premier flic de France. Il a demandé à Harold Hauzy, son conseiller en communication, d'alerter la presse. Ce n'est pas à proprement parler un communiqué mais c'est tout comme. L'Élysée n'a pas été alerté. C'est Valls seul qui a pris l'initiative de proclamer la rupture. « *This is the end, my friend.* »

On connaît la suite : le tête-à-tête le lundi matin entre le président de la République et son premier ministre, Valls démissionné puis immédiatement renommé, chaque ministre confirmé ou nommé prié de faire allégeance. C'est Fabius qui a suggéré la procédure pour qu'enfin, une bonne fois pour toutes, la zizanie cesse.

Montebourg, Hamon, Filippetti sortent, Macron entre. L'ancien secrétaire général adjoint de l'Élysée était à deux doigts de s'envoler pour les États-Unis où il avait prévu d'enseigner lorsqu'il a reçu le coup de fil du président. Avant de répondre, il demande une heure de réflexion. « *Je pourrai réformer ?* » Réponse : « *Oui.* » Il a 36 ans, n'a jamais été ministre, incarne le renouvellement et aussi une ligne, le social-libéralisme, assumé sans complexe. C'est Valls qui l'a voulu à Bercy, soutenu par Jean-Pierre Jouyet, le nouveau secrétaire général de l'Élysée, un des nombreux amis de Macron. Hollande, lui, avait une préférence pour Louis Gallois, le président du conseil de surveillance de PSA, bien plus acceptable aux yeux de la gauche, mais ce dernier a décliné pour des raisons personnelles. *« Je ne suis pas fait pour ça ! »* Macron l'a donc emporté avec mission de faire oublier Montebourg et toute cette génération de quadras perdus qui préfèrent contester plutôt que gouverner. C'est ce que Valls attristé a lancé à ses anciens comparses : *« Nous allons être une génération perdue. »*

Après le pacte de responsabilité, c'est le second moment de clarification du quinquennat. Non pas tant sur la ligne qui reste sur le plan budgétaire passablement brouillée mais sur le comportement. *« Ce qui a gêné Valls, c'est le manque de dignité vis-à-vis du président de la République, la faute de carre »*, décrypte Jean-Marie Le Guen. Sans compter la zizanie qui menaçait d'emporter son autorité de premier ministre, après celle de Jean-Marc Ayrault.

Sur le coup, tout le monde est groggy, pas fier, un peu triste. La gauche s'est ridiculisée, une fois de plus. La majorité a rétréci. L'image du président en est sortie un peu plus cabossée. Interrogés sur la séquence François Hollande et Manuel Valls portent le même regard attristé : *« J'ai fait le pari que la gauche était devenue mature, que minoritaire dans le pays elle serait capable de comprendre qu'elle devait faire bloc pour gouverner. Mon constat c'est qu'une partie de la gauche ne l'admet pas »*, analyse le chef de l'État en poursuivant : *« On ne peut pas se comporter au gouvernement comme au PS avec des jeux tactiques, des positionnements. Cette génération qui avait éclos sous Jospin a été abîmée par les jeux du PS. »* Et Manuel Valls d'enchaîner : *« Une partie de la gauche refuse toujours d'assumer la réalité, elle occulte la gravité du moment : la menace terroriste, la crise du pacte républicain, la crise européenne alors que François Hollande les avait tous installés au gouvernement. Chacun avait sa place.* »

Les perdants sont les trois frondeurs. Ils avaient beau jouer avec le feu, ils ne s'attendaient pas à être expulsés d'une aussi brutale manière. Hamon n'est certes pas mécontent de retrouver son statut d'opposant qui lui donne bonne conscience mais, à 47 ans, il a manqué sa rentrée de ministre de l'éducation nationale. Comment le vivre bien ? Montebourg continue de faire le bravache, soulagé d'avoir laissé s'épancher le mépris qu'il porte au président et qui commençait à lui gâter le sang : « *Le soir de mon départ, Hollande m'a appelé trois fois, je ne l'ai pas pris au téléphone, je ne veux pas lui reparler* », lance-t-il. Et après ?

Il ne gouverne plus. Il s'est mis hors jeu, lui dont les patrons, au-delà des anathèmes essuyés, reconnaissent « *qu'il se battait bien pour l'industrie française* ». La preuve, Montebourg travaille pour Habitat. Il a pris du champ, enfin pas complètement. ‹ *Hébétés, nous marchons droit vers le désastre* », a-t-il écrit le 7 juin 2015 dans une tribune cosignée avec le banquier d'affaires Matthieu Pigasse. C'était en plein congrès socialiste. C'était fait pour tuer mais il s'est fait démolir pour ne pas avoir osé défendre sa cause devant ses camarades. Et derrière lui les troupes fondent.

« Pépère », le dernier surnom du président, a le cuir tanné et la résilience à toute épreuve. Il les épuise à sa façon, jamais brutale, toujours aimable. Il ne les pousse pas dehors. Il les pousse à bout, les laisse s'éloigner et se perdre. D'une certaine façon, c'est plus cruel. Delphine Batho, la première socialiste à avoir payé son indiscipline d'une expulsion du gouvernement Ayrault, a disparu des radars. Elle n'avait jamais beaucoup compté, il est vrai. Cécile Duflot qui a cru, en boudant le gouvernement Valls, pouvoir bâtir une alternative rouge-verte sur les ruines du PS rame depuis. La lune de miel avec Mélenchon est terminée. Elle trouve soudain au cofondateur du Parti de gauche qui vient de publier *Le Hareng de Bismarck*, un nouveau pamphlet contre l'Allemagne, « *un ton revanchard* » et « *des accents parfois quasi déroulédiens* » qu'elle n'avait pas cru bon de percevoir avant. Lui aussi est tombé très bas : de 11,1 % au premier tour de la présidentielle à 6,3 % aux élections européennes de mai 2014, « son » élection pourtant, celle où d'ordinaire il fait un score. Mais là, c'est Marine Le Pen qui a emporté la mise : 24,9 %. Une quasi-OPA sur le camp de l'euroscepticisme. Sur le coup, Mélenchon en est sorti tellement brisé qu'il a annoncé vouloir faire une pause, « *dormir* », « *bayer aux corneilles* ». Tout ça pour ça !

Le seul rescapé : Valls, parce qu'il aime gouverner, goûte le pouvoir, préfère l'action aux mots, a intégré l'implacable logique de la Ve République. Valls qui se veut responsable pour tous les autres, les perdus de sa génération. Valls auquel Montebourg évidemment dénie toute victoire au moment où leur pacte se dénoue. Lorsque l'amoureux des Doors fredonne « *This is the end* » dans le bureau de l'hôtel Matignon, c'est l'échec du premier ministre que naturellement il chante. « *Tu vas couler avec Hollande. Pour ma part, je reprends ma liberté dont je ferai usage* », lance-t-il à son ancien allié. Rien de pire qu'une passion déçue.

Au moment du pacte, « *Montebourg pariait sur l'impossibilité pour François Hollande de se représenter en 2017. Il se voyait déjà victorieux d'une primaire face à un Valls usé à Matignon* », décrypte un proche.

Valls avait-il le même scénario de la primaire en tête ? Peut-être, mais il ne l'a jamais dit. Au contraire, il a toujours pris soin de proclamer « *sa loyauté* » à l'égard de Hollande en répétant à qui voulait l'entendre : « *Une seule hypothèse de travail : tout pour le bien de la République.* » Son sort jusqu'à la fin dépendra du président. Et s'il existait encore un doute, une scène le dissipe, deux mois plus tard, expression raffinée d'une cohabitation qui se tend au fur et à mesure que l'échéance présidentielle se rapproche.

Pour une fois, ce jour d'octobre 2014, rien n'a été laissé au hasard : ni le décorum ni la tirade. Le monarque a appris. Devant les lourdes tentures rouges de la salle des fêtes de l'Élysée, le président de la République remet la médaille de l'ordre national du Mérite à son premier ministre, au bout de six mois d'exercice, devant les caméras, et c'est l'embrassade qui tue : une pluie de lauriers et au beau milieu le cactus qui pique, l'évocation de Clemenceau, le grand homme de Valls, qui, le malheureux, n'a jamais réussi à accéder aux plus hautes fonctions ! C'est le président qui le dit. Il a profité du conseil des ministres pour peaufiner sa tirade. Elle est faite pour blesser : « *On peut réussir sa vie sans être président de la République* », dit François Hollande avant de passer délicatement l'écharpe bleue autour du cou de son premier ministre.

Valls n'a pas d'autre choix que d'encaisser sans broncher, devant sa mère et sa femme, si fières d'être là, « *cette petite perfidie* » qui l'humilie avant de poursuivre le match devant ses conseillers à Matignon, défendant envers et contre tout son héros « *qui ne s'est jamais trompé sur les moments importants : la Commune, la décolonisation, l'ordre républicain, l'union nationale* ». Et à travers Clemenceau, c'est évidemment lui qui se défend, douloureusement, car il sait déjà qu'il a été maladroit et il comprend qu'il a été ostensiblement maltraité ce jour-là mais tout de même : Hollande « *n'aurait pas dû, je suis loyal, je suis fidèle, il le sait, je défends ma ligne* ». Le lendemain, il ira dire au président : « *Je ne comprends pas.* »

En fait, Valls paie l'offensive qu'il a conduite, deux mois durant, avec le soutien actif de Jean-Marie Le Guen et de Gérard Collomb. Le premier ministre voulait sortir de l'enlisement, éviter d'être étouffé à petit feu dans la synthèse hollandaise. Pour cela, il a poussé autant qu'il a pu la fusée de la rénovation. « *L'illisibilité, la godille, ça ne marchera pas. J'ai gagné la bataille des idées* », clame le téméraire qui s'est mis en tête de conduire l'offensive idéologique au sein du Parti socialiste – et évidemment, ça coince.

Martine Aubry est en embuscade, gardienne du temple. Entre eux, l'hostilité est totale. Elle devient palpable lorsque le 19 octobre dans *Le Journal du Dimanche*, la maire de Lille dénonce « *les vieilles recettes libérales* » avant d'exiger, à l'unisson des frondeurs, la « *réorientation* » d'une partie des allègements de charges.

Trois jours plus tard, la riposte tombe. Une longue interview dans *L'Obs*. Le premier ministre est photographié en majesté, assis dans un fauteuil qui ressemble à un trône. Le texte court sur cinq pages. Une grosse opération de com. Valls cogne tous azimuts : sur le début du quinquennat, sur les hausses d'impôts qui ont conduit au « *ras-le-bol* ». Après quoi, il attaque le « *sectarisme* » de la gauche, fustige la difficulté qu'elle a de « *répondre au défi de la mondialisation* ». Puis il identifie les chantiers : « *réforme de l'État-providence, montée de l'individualisme, crise d'identité* » et appelle à « *la refondation* ». Lorsque arrive la chute, on croirait lire du Rocard : « *Il faut en finir avec la gauche passéiste* »... « *bâtir la maison commune de toutes les forces progressistes* », proclame-t-il. Le 17 février 1993, Michel Rocard n'avait pas dit autre chose lorsque, dénonçant la ligne « *excessivement protestataire* » du premier secrétaire de l'époque, Henri Emmanuelli, l'ancien premier ministre avait, à Montlouis-sur-Loire, appelé au « *big-bang* » et à l'ouverture au centre. L'histoire bégaie.

Lorsque François Hollande a eu en main l'interview de son premier ministre, il l'a très peu modifiée mais a eu des mots durs : « *L'exemple même d'une communication ratée, une interview bâclée, il a voulu faire un coup* », a-t-il lâché. Il n'a cependant rien bloqué et lorsque le texte est paru, chafouin, il a lâché : « *Je suis bien positionné.* » Quelques semaines plus tard, il se réconciliait – une fois de plus ! – avec Martine Aubry. C'était à vingt et un ans de distance la deuxième mort de Michel Rocard.

XVII.

Nicolas va nous sauver !

Deux tiers des Français ne veulent pas que Nicolas Sarkozy soit candidat à l'élection présidentielle, mais lui si. À 13 % de popularité, dans l'océan de maux qui l'accablent, le président a entrevu un filet de lumière, une toute petite ouverture qui lui offre la possibilité de se refaire. L'excellent Sarkozy a claironné son retour et le retour de l'ex signe sa propre résurrection. Deux ans ont à peine sonné qu'ils sont repartis en campagne. C'est le bal des revenants !

Drôle de combat, tout de même, que ce match retour dont ils rêvent l'un et l'autre et qui signe l'insoutenable légèreté du politique, habilité à séduire puis à décevoir dans un cycle quasi saisonnier. François Hollande s'était fait élire en 2012 en surfant sur un antisarkozysme devenu radical. Cinq ans plus tard, Nicolas Sarkozy espère revenir à la faveur d'un anti-hollandisme devenu virulent. Ils sont les frères ennemis de la décennie, les sexagénaires que tout oppose et tout lie en même temps. L'un aussi « hyper » que l'autre est « hypo », mais 100 % politique tous les deux, le cuir tanné face à l'avalanche de critiques qu'ils ont essuyées dans l'exercice du pouvoir, accusés l'un après l'autre d'avoir « abîmé » la fonction, mal réduit les déficits, de se jouer de l'Europe, d'avoir la main qui tremble lorsqu'il s'agit de réformer, d'être impuissants face au chômage et inaptes à réduire les multiples fractures qui rongent la République. Et pourtant debout, parés pour le combat, partis pour la longue course de haies qui consiste à rassembler son camp, la gauche d'un côté, la droite de l'autre, les deux étant en aussi mauvais état l'un que l'autre, avec en embuscade Marine Le Pen qui fait son miel de ce médiocre affrontement programmé.

Au début, François Hollande n'y a pas vraiment cru. *« Il pensait qu'un président battu ne revient pas »*, rapporte un conseiller, ce qui était une erreur car il existait un précédent : Valéry Giscard d'Estaing vaincu en 1981 exactement dans les mêmes proportions que Nicolas Sarkozy en 2012 : 48 % des suffrages exprimés et quelques poussières, soit à leurs yeux une quasi-victoire et souffrant exactement du même syndrome. Il y a là à la fois une soif inextinguible de revanche telle celle qui saisit le comte de Monte-Cristo lorsqu'il s'évade du château d'If et *« la frustration de l'œuvre inachevée »*, comme l'écrivait Giscard ! Mais il faut aussi compter avec le sentiment que *« quand on a été président, on le reste »*, ainsi que le formule Sarkozy et, transcendant tout cela, l'idée que pour entrer dans l'histoire, il faut deux mandats sinon rien, comme de Gaulle, comme Mitterrand, comme Chirac.

Les signes étaient là pourtant, que Jean-Christophe Cambadélis, depuis le siège du PS, observait avec attention : *« Il a laissé créer l'association Les Amis de*

Le stage est fini

Nicolas Sarkozy, il a choisi un local à deux pas de l'Élysée, il conteste la défaite, il veut que la page reste ouverte, c'est évident, il veut repartir », s'exclame le numéro un du PS au lendemain de la victoire de la gauche. Et s'il existait encore un doute, il suffisait d'écouter ceux qui avaient partagé le premier été du président battu. L'ex saluait son score comme *« une performance par rapport à la crise »*, bloquait devant eux toute forme d'inventaire et prenait une mine navrée pour commenter les débuts de celui dont il peinait à prononcer le nom : *« Depuis qu'ils sont là ils n'ont pris que de mauvaises décisions »*, soupirait-il, accablé.

Tout à sa victoire, François Hollande se contente de surveiller l'animal du coin de l'œil *« sans être obsédé »*, affirme ce même conseiller. Lorsque Untel lui rapporte que Nicolas Sarkozy en est à son troisième déplacement au Qatar, le président tend, cependant, l'oreille. Lorsqu'un autre fait état de conférences rémunérées à l'étranger, il s'étonne qu'un ancien chef d'État puisse *« se faire de l'argent »* en travaillant avec des collaborateurs payés par l'État. De son côté, Nicolas Sarkozy a eu très tôt *« le sentiment qu'une cellule à l'Élysée était là pour le surveiller »*, rapporte son ami Brice Hortefeux. Et, comme à son habitude, il en fait aussitôt un élément de combat. Lorsque, coup de tonnerre, l'ancien président est mis en examen pour recel de violation du secret professionnel, corruption et trafic d'influence actifs après, fait sans précédent, que ses conversations téléphoniques ont été écoutées, il théâtralise. L'affaire judiciaire devient un drame éminemment politique. L'ex dénonce *« l'instrumentalisation de la justice »* et *« la volonté de l'humilier »*.

Nicolas va nous sauver !

L'argent et les affaires. Les bases du combat sont posées qui décuplent l'énergie vengeresse du président battu.

« *Sarkozy ? C'est le comte de Monte-Cristo* », s'exclame Jacques Attali au sortir d'une visite. « *Il est dans la revanche personnelle, c'est son principal moteur.* » La posture n'est pas nouvelle. Il a toujours fallu à l'enfant terrible de la République un punching-ball sur lequel taper, un ennemi à accrocher à « *un croc de boucher* », comme il le disait un moment de Villepin. Cela décuple sa force de boxeur et galvanise autour de lui une troupe de militants prêts à mourir pour lui. C'est dans leur regard que l'ex puise aujourd'hui sa force pour mener la folle bataille du retour. « *S'il est réélu, personne ne pourra le tenir* », commentent des proches, sidérés par son hybris, sa démesure.

Hollande laisse venir l'adversaire qui, contrairement à lui, sait construire des récits et fabriquer des légendes sur le thème : « *Ce que je suis en train de réussir, personne ne l'a fait avant moi.* » Il ne le sous-estime pas mais ne l'a jamais estimé. Il est convaincu que Nicolas Sarkozy est l'homme qu'il ne faut pas au pays : trop clivant, trop transgressif aussi. Et pour tout dire décevant. « *Sarkozy ?* répond-il quand on l'interroge, *il a gâché de bonnes intuitions : l'ouverture, ce n'est pas une idée forcément mauvaise ; la transformation du pays, il faut la faire mais il a fait croire qu'il réformait et il ne l'a pas fait. Il s'est contenté de demi-réformes souvent coûteuses.* » Pas tendre, le président, qui poursuit : « *Le plus grand échec de mon prédécesseur aura été la compétitivité. Il n'a rien fait pour l'améliorer. On est sorti de son quinquennat plus affaibli qu'on y*

215

était entré. » On l'a compris : ce sera bilan contre bilan, chacun son style ! « *Ce n'est pas parce qu'on ne dramatise pas qu'on ne réforme pas,* assène François Holande, en revendiquant d'avoir fait « *beaucoup plus de réformes de structure que les autres* ». La preuve ? « *Le pacte de responsabilité, le CICE, je n'ai pas connaissance que de telles choses aient été faites précédemment.* » Plus réformateur que moi…

Ils se connaissent depuis la fin des années 1990, ont convenu de se tutoyer lorsqu'ils partageaient les bancs de l'Assemblée nationale parce que l'époque le voulait, mais n'ont pas pour autant sympathisé. Comment l'auraient-ils pu ? L'un tout en rondeur et en empathie, l'autre tout en excès et en brutalité. Le premier rusé comme Ulysse, le second désinhibé et transgressif comme Alcibiade. Ils s'observent cependant, testent quelques piques lors de rares face-à-face, comme en 1999 où déjà l'impôt leur sert de marqueur : « *Vous n'avez qu'une idée en tête : créer des impôts pour punir ceux qui réussissent* », lance le maire de Neuilly à l'élu de Corrèze avant de poser six ans plus tard à ses côtés à la une de *Paris Match,* persuadé qu'un jour ils s'affronteront au plus haut niveau, parce que l'un incarne la gauche, l'autre la droite, et que la politique les brûle d'un même feu.

« *Condoléances* », lâche Nicolas Sarkozy à François Hollande lorsqu'il le croise en 2007 et qu'il s'avère que Ségolène Royal a détrôné son compagnon. Cinq ans plus tard, le round se joue enfin mais comme à front renversé dans un inexplicable face-à-face. Pourquoi diable Nicolas Sarkozy a-t-il laissé son adversaire dévider quinze fois son anaphore « *Moi président* » lors du duel télévisé de l'entre-deux-tours, sans l'interrompre, comme subjugué ? Cela avait duré trois minutes et vingt et une secondes, autant dire une éternité. Le socialiste n'avait pas prévu d'en dire autant mais il en avait tellement en réserve qu'il avait laissé couler le flot, à la stupeur de son entourage à la fois bluffé et inquiet : *« Attention tu t'engages ! »* Et depuis Nicolas Sarkozy refait tardivement le match, rageur, interpellant, à chaque réunion publique, le *« Moi président »* qui lui avait si fortement cloué le bec pour mieux faire la somme des engagements non tenus et en conclure que *« jamais la France n'a été aussi trompée »*.

Il y a beaucoup de violence dans ce retour, une envie d'en découdre, décuplée par le peu d'estime dans lequel Nicolas Sarkozy tient son successeur : un *« pas au niveau »*, *« sans vision »* conduisant un quinquennat d'une *« affligeante médiocrité »* tandis que lui, c'était autre chose naturellement ! Dès les cérémonies du 8 mai 2012, sur les Champs-Élysées, où François Hollande avait eu la courtoisie de le convier, son avis était fait : *« Il ne se rend pas compte de ce que c'est »*, avait confié, affligé, le battu à ses proches en observant le nouvel élu plaisanter avec son ami Jean-Pierre Bel, le président du Sénat, avant de remonter l'avenue. Mais Sarkozy peut bien continuer de s'affliger, le président a pris de la bouteille, il ne rit plus et ne rate plus une occasion d'instruire le procès du bilan qu'il avait trop légèrement évacué au début de son règne : *« Un million de chômeurs en plus, le déficit budgétaire supérieur à 5,2 % du PIB, une balance commerciale dégradée de plus de 65 milliards d'euros »*, décompte-t-il le 18 septembre 2014, avec une précision de notaire, lors de la quatrième conférence de presse de son quinquennat, celle-là même où, au fond du trou, il convient, dans une formule assez désolante, que « *ce n'est pas facile* ».

Et pour cause : un million de chômeurs en plus sous le règne de Nicolas Sarkozy, 630 000 supplémentaires durant les trois premières années de son propre quinquennat. Cela suffit à les intégrer dans la même tragédie : le chômage de masse qui s'incruste et installe le pays dans un assistanat de plus en plus honteux ; l'impuissance du politique qui résiste à l'alternance gauche/droite et n'en finit pas de faire le lit du Front national. Mais Nicolas Sarkozy est convaincu que « *c'est la crise qui l'a empêché de réformer* » tandis que François Hollande est persuadé que c'est lui qui va sortir le pays de la crise. Il faut juste que la courbe du chômage s'inverse. Dommage ! Elle résiste.

Il y a chez ces deux présidents que tout oppose au moins un point commun : ils ne doutent de rien, se croient bénis des dieux. Jacques Attali qui les a vus s'installer l'un après l'autre à l'Élysée a constaté la même propension à « *se croire infaillibles parce que contrairement à de Gaulle, à Mitterrand et Chirac, ils avaient réussi à se faire élire du premier coup, en créant les conditions de leur propre élection* ». Et maintenant qu'ils ont à peu près appris à être président, ils en redemandent naturellement.

C'est à l'été 2014, alors que plus personne ne misait un euro sur sa personne, alors que le Tout-Paris bruissait de rumeurs sur une inévitable dissolution tant le quinquennat semblait mort, que François

Hollande, enjambant le gouffre, s'est remis à préparer l'échéance de 2017. Son intuition lui disait qu'il y avait au bout du tunnel comme un minuscule trou de souris. L'animal politique a recommencé à y croire, il s'est remis en mouvement, galvanisé par l'atterrissage quelque peu chaotique de celui qu'il avait battu mais qui n'avait en réalité jamais quitté la scène.

Avec quel art Sarkozy le tragédien avait-il soigné sa fausse sortie, sans un brin d'amertume, contrairement à Valéry Giscard d'Estaing, mais avec suffisamment d'amour pour entretenir la passion de ses supporters ! *« J'ai été battu de si peu ! »* répétait-il, et cela suffisait à mettre à bas la pacification voulue par son successeur. Au moment où il pensait avoir emporté le morceau, Hollande avait perdu : le pays était coupé en deux, une partie préparant déjà la revanche sur l'autre, et cela s'était vu lors des grandes manifestations contre le mariage pour tous : une droite galvanisée, revancharde, ne supportant pas le président élu. Et Hollande intériorisant d'emblée sa faiblesse : *« La gauche est minoritaire dans le pays. »* Mais à présent que Nicolas Sarkozy est redescendu dans l'arène, au milieu des affaires et de ses rivaux indociles, guetté par Marine Le Pen qui a juré sa perte, le combat retrouve une réalité tangible. *« Sarkozy mobilise très bien son camp mais il est le candidat le moins rassembleur du pays »*, observe le président qui, devant ses proches lâche : *« N'importe quel candidat de gauche qui se présentera face à lui sera élu. »* Il suffit juste que ce *« n'importe quel »* soit François Hollande.

Tout est dit : le président sortant ne peut espérer se refaire que face à Nicolas Sarkozy. *« Si c'est Alain Juppé, on ne sait pas faire »*, reconnaît un proche de

François Hollande alors que face au clivant tout est beaucoup plus simple. D'abord et avant tout travailler la proximité, réduire la cassure avec le peuple, ce rejet dont François Hollande veut se convaincre qu'il n'est pas de même nature que l'antisarkozysme. Sa politique est peut-être détestée mais lui non. C'est pourquoi au plus fort de son impopularité, le mal-aimé s'évade de l'Élysée pour devenir « le roi du selfie » : Julien Dray, son ami, Gaspard Gantzer, son nouveau conseiller en communication, lui organisent des déplacements à travers le pays, loin du regard des journalistes pour qu'il redevienne ce qu'il était avant d'avoir sombré : l'homme proche des Français, l'édredon que les électeurs avaient choisi en 2012 pour amortir le choc Sarkozy. L'histoire bégaie.

Soudain, on découvre que tout a changé autour du président. Un spectaculaire coup de balai, comme le palais n'en avait jamais vécu, a redistribué les cartes. Aquilino Morelle, l'ami d'Arnaud Montebourg, est tombé, victime de ses intrigues de cour et de son goût immodéré pour les souliers trop bien cirés. De la vieille promotion Voltaire, désormais datée, ne reste qu'un survivant, Jean-Pierre Jouyet, nommé secrétaire général de l'Élysée à la place de Pierre-René Lemas. L'homme que Nicolas Sarkozy avait pris au piège de l'ouverture en 2007 paie son tribut à son « ami » François. Dix-sept heures de travail quotidien. Il fera tout pour qu'il soit réélu. L'ancien conseiller de Jacques Delors s'est entouré d'une équipe de jeunes cadors que le président se plaît à pousser un jour à la une de *L'Obs* comme un message subliminal : le renouveau c'est moi. Et tant pis si l'ENA a préservé et même plus son influence.

En face, Nicolas Sarkozy peine à reconstituer la dream team qui l'avait mené à la victoire en 2007. Non que son camp manque de talents, au contraire, mais tous ces quadragénaires qui piaffent, les Le Maire, Wauquiez, Kosciusko-Morizet, Bertrand, croient d'abord à eux-mêmes. Du balai ! Comme après Giscard. Le bilan, pour tout dire, ne les a pas bluffés. Et les menaces ne marchent plus. « *Sarkozy n'a plus l'autorité du chef* », commente Bruno Le Maire, le plus affranchi de tous. Et ce qu'il dit rejoint ce qui se murmure de plus en plus fort dans les milieux patronaux : les chefs d'entreprise qui naguère étaient les plus grands supporters de Nicolas Sarkozy ne sont plus sûrs du tout de vouloir le revoir : « *On s'est tellement fait engueuler* », lâche l'un d'eux. « *Il a si peu réformé* », renchérit un autre. En retour, Sarkozy a pour eux des mots durs. « *Le Rotary Club, ça me déprime* », lance-t-il un jour à un aréopage de patrons un peu trop revendicatifs à ses yeux.

À la fin du mois de mai 2015, deux sondages sont publiés, alarmants pour l'un comme pour l'autre : 72 % des Français ne veulent pas de la candidature de Nicolas Sarkozy, 77 % ne souhaitent pas celle de François Hollande. Le pays a envie de voir des têtes nouvelles. Eux non. Ils feront tout pour l'empêcher. C'est leur accord tacite. L'avenir, c'est eux. La force tranquille contre la rupture. Le droit à la deuxième chance. L'éternel recommencement.

XVIII.

L'occasion manquée

C'est un moment tragique mais un moment magique où le détrôné se remet en selle. La transfiguration est spectaculaire. On ne le moque plus. Il est le roi thaumaturge conduisant son peuple. Il a écrit une page d'histoire. Personne ne pourra lui enlever cela. François Hollande s'est trouvé dans les événements dramatiques de janvier 2015. Une séquence parfaite, « *un film en raccourci* », comme il le dira plus tard.

Il arrive toujours un moment dans un mandat présidentiel où les Français prennent conscience que l'homme qu'ils ont élu est entré dans l'habit. C'est un instant très particulier où la capacité à faire face n'est pas seule en cause. Il faut savoir aussi trouver les mots justes et les gestes qui comptent pour pouvoir transcender l'émotion du pays. Jacques Chirac était devenu président en rendant un hommage bouleversant à son prédécesseur François Mitterrand. Nicolas Sarkozy avait acquis la stature en affrontant – plutôt bien – la crise de 2008 et le sauvetage de la zone euro. François Hollande est devenu président à l'occasion des événements terroristes de janvier 2015. Il lui a fallu tout de même trente et un mois pour entrer dans l'habit.

Ce qui frappe au cours de ces journées dramatiques où trois jeunes Français devenus djihadistes sèment la terreur et attaquent la République dans ce qu'elle a de plus précieux, l'unité du peuple français, c'est la perfection de l'enchaînement : sept jours terribles au cours desquels l'exécutif réalise un sans-faute : fermeté et émotion, riposte et compassion, et où chaque séquence en amène une autre. Le film joue comme un révélateur : l'amateurisme du début a fait place au professionnalisme. L'équipe sait enfin gouverner. Et la main du président ne tremble plus.

La traque des terroristes menée tambour battant se solde trois jours plus tard par la mort des frères Kouachi et de leur complice Amedy Coulibaly. La riposte a été foudroyante. Elle n'efface pas l'horreur : l'équipe de *Charlie Hebdo* décimée, Cabu, Wolinski, Charb, Tignous, Maris, Honoré abattus à bout portant pour *« insulte au Prophète »*, sans oublier un invité, Michel Renaud, deux autres journalistes, un agent d'entretien, deux policiers affectés au journal, une policière tuée dans une rue de Montrouge parce qu'elle avait le malheur de se trouver là, et quatre clients de l'Hyper Cacher de la porte de Vincennes abattus parce qu'ils étaient juifs. Au total 17 morts et 8 blessés. Mais la vigueur de la contre-attaque efface le procès en incompétence qui aurait achevé la présidence de François Hollande.

« On ne pourra plus jamais accuser la gauche de ne pas être à la hauteur en matière de sécurité », soupire le président qui a dirigé les opérations du début à la fin jusqu'à déclencher le double assaut final le vendredi 9 janvier,

peu avant 16 heures, entouré de Manuel Valls, Bernard Cazeneuve et Christiane Taubira. Les trois ministres ne sortiront pas tout à fait les mêmes de l'épreuve du feu. *« Je n'oublierai jamais »*, dit Manuel Valls qui y gagne, dit-il, en *« gravité »* et en *« densité »*, et parle désormais de sa relation avec le président comme d'*« une alchimie particulière qu'eux seuls peuvent comprendre »*. L'État a fonctionné. Les services de sécurité ont réagi au quart de tour. *« Pour la première fois, tout le monde, police, gendarmerie, a travaillé ensemble sous le commandement d'un seul chef »*, expliquera au *Point* le général Denis Favier, l'homme qui, au côté du président, a coordonné la traque des terroristes et l'assaut final.

La fermeté, cependant, ne suffisait pas. Il fallait aussi l'émotion et elle n'est pas feinte. François Hollande connaissait personnellement l'équipe de *Charlie Hebdo*. Lorsque le mercredi 7 janvier, en fin de matinée, l'urgentiste Patrick Pelloux, un pilier du journal, l'appelle sur son portable pour lui raconter l'horreur, le président annule le déjeuner qu'il avait prévu avec des journalistes de l'AFP et fonce au siège du journal, dans le XIe arrondissement de Paris, au mépris des règles les plus élémentaires de sécurité. La portée de l'événement est immédiatement saisie, l'émotion qu'elle va susciter aussi. Aucune erreur de communication, le chef de la nation blessée s'exprime une première fois depuis le siège de *Charlie Hebdo* puis le soir de façon plus solennelle depuis l'Élysée. Deuil national et minute de silence : *« C'est la République tout entière qui est agressée. »*

L'émotion, cependant, ne suffisait pas. Il fallait que le peuple soit là. Au siège du Parti socialiste,

Jean-Christophe Cambadélis a appris la nouvelle de sa chef de cabinet, Karine Gautreau, qui s'est précipitée dans son bureau en larmes : « *Ils ont assassiné douze personnes.* » « Camba » n'y croit pas. Valls, joint au téléphone, confirme, lui aussi très ému. Le premier secrétaire du PS, sous le choc, comprend immédiatement que quelque chose de puissant va se produire dans le pays et qu'il faut lui donner un débouché. « Kostas », comme on l'appelait lorsqu'il militait chez les lambertistes, a quinze années de militantisme étudiant derrière lui. Il sait faire. Julien Dray aussi. À 14 heures, l'ancien militant de la LCR, le fondateur de SOS racisme, l'ami du président tweete : « *17 h, tous à la Bastille.* » La génération Charlie est en train de naître, « Juju » prépare le berceau. En juin 2014, après la lourde défaite aux européennes qui avait suivi le désastre des municipales, il était désespéré : « *La gauche a perdu son rapport au peuple et son hégémonie culturelle* », pleurait-il. Il avait en tête les grandes manifestations du début du quinquennat contre le mariage pour tous, la dynamique de rue qui favorisait le rapprochement de l'électorat de la droite et du FN. Pour redresser la barre, il ne voyait qu'une solution : « *Remobiliser la société.* » On y est.

Cambadélis est favorable à un rassemblement dès le samedi, Dray penche plutôt pour le dimanche. Dans l'esprit des deux hommes, c'est évidemment une manifestation à tonalité de gauche. Hollande lui veut quelque chose de plus large. Depuis mercredi 11 heures, le président est devenu la figure rassurante de la nation tout entière. Rassembleur, il a appelé son prédécesseur Nicolas Sarkozy pour le convier à l'Élysée dès le lendemain. Les autres chefs de parti seront reçus dans la foulée.

« *On va ouvrir à l'UMP* », prévient le premier secrétaire du PS lorsqu'il joint Pierre Laurent par téléphone. Le patron du Parti communiste donne son accord. Christophe Lagarde, le président de l'UDI, tope aussi. Emmanuelle Cosse, la chef des Verts qui revient du siège de *Charlie* bouleversée, acquiesce à son tour. À l'UMP, en revanche, ça bloque. Quand le patron du PS tente de joindre son homologue, pas de réponse. Nicolas Sarkozy fait le mort. Cambadélis a beau insister, toujours rien. C'est Manuel Valls en personne qui devra décrocher son téléphone : « *Alors, tu refuses de parler à Camba ?* » lance le premier ministre ironique à celui qui avait tenté de le débaucher en 2007. « *Je ne le connais pas* », répond du tac au tac Sarkozy. « *C'est faux, on a déjà débattu ensemble* », s'offusque le premier secrétaire vexé. Peu importe ! L'UMP en sera aussi, malgré la crainte de son président d'être pris au piège et peut-être même sifflé. Autour de lui, les faucons ont pointé les dangers de l'union nationale, à l'heure de la reconquête. « *J'ai été président de la République* », leur rétorque-t-il pour couper court.

L'opération est lancée. Enfin presque. Interrogé par les journalistes sur la présence du Front national, Olivier Faure, l'un des quatre porte-parole du Parti socialiste, préconise de « *n'exclure personne* ». Bizarre, car au même moment on apprend que le parti de Marine Le Pen n'a pas été convié le jeudi à la séance d'organisation de l'événement. À nouveau contacté par l'AFP, Faure, cependant, confirme : « *Tous ceux*

qui souhaitent manifester dimanche leur solidarité avec
Charlie Hebdo *et leur réprobation face au fondamenta-
lisme devraient pouvoir être présents physiquement.* »
À l'autre bout de Paris, Julien Dray éructe et d'un
coup de pouce rageur coupe court au débat en
lâchant sur son compte Twitter : « *Le FN reste marqué par son histoire, il n'a pas sa place dans la manifestation dimanche.* » L'ancien ministre délégué à la
ville, François Lamy, un proche de Martine Aubry,
qui vient lui aussi d'appeler au rassemblement des
républicains, renchérit : pas question de défiler au
côté d'« *une formation politique qui, depuis des années,
divise les Français, stigmatise les concitoyens en fonction de
leur origine ou de leur religion* ». Marine Le Pen saute
sur l'aubaine, joue la victime, casse l'unité nationale.
À l'Élysée, Hollande s'agace de ces polémiques mal-
venues sans parvenir cependant à sortir de sa propre
ambiguïté : s'il ne veut pas du Front national, le
président veut bien de ses électeurs. « *Chaque citoyen
est libre de venir* », insiste-t-il.

Dimanche 11 janvier, 4 millions de citoyens
inondent les rues de France pour défendre la République. C'est un raz-de-marée. Rien qu'à Paris, on en
dénombre près de 2 millions. Du jamais-vu depuis
la Libération, la même émotion qu'aux obsèques de
Victor Hugo. Des familles entières – parents, enfants,
grands-parents – sont là avec les poussettes et les bou-
teilles d'eau, des adolescents aussi pour qui c'est le
baptême du feu, des novices et des vieux routiers, des
connus et des anonymes, ceux qui dans leur jeune
temps avaient tapé sur les CRS et aujourd'hui les

applaudissent. Seul bruit dans un silence de cathé-
drale et partout la même pancarte : *« Je suis Charlie. »*

En tête du cortège, le président marche, régénéré
par la foule qu'il conduit. Pas très loin, les présidents
des assemblées, les représentants des corps constitués, les dirigeants des partis sauf Marine Le Pen,
d'anciens premiers ministres, un ancien chef d'État,
Nicolas Sarkozy, qui, accompagné de son épouse,
joue des coudes pour accéder au premier rang. Une
démonstration presque parfaite d'unité nationale.
Dès le lendemain cependant, des sociologues avertis
observeront que toute la France n'était pas là, qu'il
manquait *« les casquettes et les foulard*s » pour le dire
comme Julien Dray. Quatre mois plus tard, le sombre
Emmanuel Todd en tirera la conclusion très contes-
table que ce n'est pas la République qui défilait mais
« une néo-République autoritaire et inégalitaire » n'aspirant
« à fédérer que sa moitié supérieure éduquée ». Mais sur le
moment, quelle émotion ! *« Un prodige d'unité nationale et de fraternité »*, commente, ébloui, sur France 3
le philosophe Bernard-Henri Lévy qui parle *« d'un
événement métapolitique »*.

Autour du roi thaumaturge, un quart du conseil de
sécurité de l'ONU marche dans les rues de Paris, contribuant à faire de cette manifestation du peuple blessé un
événement planétaire. Qui aurait dit, une semaine plus
tôt, que 44 chefs d'État et de gouvernement auraient
accouru, comme un seul homme, marquer leur solidarité et leur refus du terrorisme, rallumant la mystique
du « pays des Lumières » ? Au milieu, l'Europe trône
en majesté. Angela Merkel est venue en amie désarmée
et désarmante, posant délicatement la tête sur l'épaule

du président français. Ce n'était qu'une image mais cela voulait dire beaucoup : que la France était dans l'Europe et l'Europe dans le monde. *« Paris, la capitale du monde »*, comme le dira fièrement François Hollande alors que Barack Obama, absent, ne sera pas long à reconnaître sa bévue.

C'est l'Italien Matteo Renzi qui, le premier, a manifesté sa volonté d'être là. Le Britannique David Cameron a suivi. Angela Merkel avait rendez-vous ce dimanche avec le président français à Strasbourg pour parler de l'Europe. Quand il s'est révélé qu'il ne pourrait honorer son rendez-vous, la chancelière a tout de suite dit : *« Alors je viens à Paris. »* Dans la foulée, beaucoup à travers le monde se sont manifestés. Le Quai d'Orsay a été d'une aide précieuse pour gérer les équilibres et les subtilités. Lorsqu'il est apparu que les Israéliens, en pleine campagne électorale, viendraient en force, Netanyahu, flanqué de son chef de la diplomatie, Lieberman, et de son ministre de l'économie, Bennett, Paris a tout fait pour que le chef de l'Autorité palestinienne, Mahmoud Abbas, soit là aussi. À peine trois jours pour organiser l'inimaginable et parvenir à cette scène incroyable : les chefs d'État et de gouvernement accueillis à l'Élysée par François Hollande puis dirigés vers les cars dans lesquels ils s'engouffrent après avoir sagement patienté, à la queue leu leu, comme des touristes, pour être déposés boulevard Voltaire et battre le pavé quelques centaines de mètres.

On aperçoit dans le cortège au milieu des Européens le roi de Jordanie Abdallah et la reine Rania, le premier ministre turc Ahmet Davutoglu, le président malien Ibrahim Boubacar Keïta, le ministre des affaires étrangères égyptien Sameh Choukri, le président ukrainien Petro Porochenko et bien d'autres encore. S'ils se doutaient qu'un jour on les ferait manifester tous ensemble ! *« Il n'y a qu'ici, à Paris, qu'on pouvait faire cela »*, sourira François Hollande alors que les services de sécurité sont sur les dents. Et pas le moindre faux pas si l'on excepte ce pigeon farceur qui vient faire ses besoins sur l'impeccable costume bleu du président.

Symboliquement, l'événement est très fort : le monarque est réarmé par son peuple, sous le regard de la communauté internationale. Même dans ses rêves les plus fous, Hollande ne pouvait espérer mieux, mais le défi est immense : remporter la guerre contre le terrorisme, vaincre la peur, lutter contre les risques d'apartheid qui menacent la République. Des années de combat qu'il serait fou de prétendre mener seul. Deux jours plus tard, un Manuel Valls particulièrement grave et inspiré se charge de déposer le fardeau entre les mains de la représentation nationale.

Lorsqu'il pénètre dans l'hémicycle de l'Assemblée nationale, ce mardi 13 janvier, le premier ministre est un homme habité. Le matin même, quelques heures avant son discours, il a assisté à l'hommage national rendu par François Hollande aux trois policiers tombés pendant les attentats. Quand, dans la cour de la préfecture de police, sur l'île de la Cité, le président a dit : *« Grâce à vous, la France est debout »*, une larme a coulé sur son visage. La fatigue sans doute, mais aussi l'émotion.

Son discours saisit les députés parce qu'il comporte ce qu'il faut de sentiment et d'exigence. Dans un épais silence, si rare dans cette enceinte, Valls évoque « *la fierté d'être français* », invoque « *l'esprit Charlie* », salue la mobilisation des citoyens et vante « *les Lumières* », mais il ose aussi des mots forts : « *Oui, la France est en guerre contre le terrorisme, le djihadisme et l'islamisme extrémiste.* » Il soulève la chape, met des mots sur les maux qui rongent le pacte républicain : l'antisémitisme, la misère dans les quartiers, « *l'apartheid* », le communautarisme, l'obscurantisme, le délitement de l'école qui n'est plus le creuset de la République.

Derrière cette énumération, trente années de renoncements partagés, droite et gauche confondues, sur fond de chômage de masse. Et l'impérieux besoin d'agir. Les députés sur tous les bancs se lèvent pour l'applaudir et, dans la foulée, entonnent *La Marseillaise*. Un moment magique. Un moment républicain. L'Assemblée nationale n'avait pas vécu pareille scène depuis la victoire de 1918.

L'exécutif s'est remis en selle de façon magistrale : un bond de popularité de près de vingt points. C'est souvent le cas lorsque le pays est en guerre, mais pour François Hollande autre chose se joue. « *Son quinquennat démarre là* », constate, lucide, un responsable de l'opposition. Le stage est terminé, les cartes sont rebattues. Que faire de l'aubaine ?

Le déjà-candidat n'est pas totalement pris au dépourvu. Deux jours avant le début du drame, il avait exposé la ligne qui serait la sienne dans le match annoncé contre Nicolas Sarkozy et l'extrême droite : « *un combat sur les valeurs, la France qui croit en son destin* » face au camp de « *ceux qui pensent que c'est fini* ». Il l'avait exposée le 5 janvier, sur France Inter en déclarant : « *Nous sommes d'abord des républicains, avant d'être à gauche ou à droite.* » Et d'insister : « *La France est un pays d'engagement* », en vantant « *les forces positives* » sur lesquelles il voulait s'appuyer pour combattre les déclinistes de tout poil. Un peu plus tard, invité à décrypter la manifestation du 11 janvier, il explique : « *Ma thèse ce jour-là, c'est que nous sommes une nation, nous répondons ensemble* », et il l'oppose à « *l'autre thèse, celle de la droite et de l'extrême droite qui dit : "On est victime d'une bataille mondiale contre l'islam et cette bataille se déroule au sein de l'Europe."* »

Le combat se tient. Encore faut-il savoir le mener, fourbir les armes, donner un prolongement à cette séquence exceptionnelle. Très vite, une forme de pessimisme résigné reprend le dessus : « *Tout change mais rien ne change, les difficultés demeurent* » malheureusement, constate le président lors d'un déplacement à Tulles, le 17 janvier. Six jours après la journée du 11 janvier, François Hollande revient à son point fixe : la croissance, et renoue avec la banalité du quotidien. « *Il fallait le retour à la normale, un pays ne peut pas vivre en tension permanente* », plaide-t-il. Cet homme ne sera décidément jamais Churchill ! D'un ton sérieux, il appelle les Français à profiter des soldes pour consommer. L'obsession économique toujours, mais sans aucune audace toujours : lorsque le ministre du travail François Rebsamen, impressionné par le climat d'unité nationale, vient le trouver pour lui suggérer :

*« Il faut en profiter ! Nomme une commission avec des gens
de droite et de gauche pour identifier les cinq ou dix réformes
clés et les faire »*, il répond, désarmant : *« Comment on
fait ? »* Vraie question, car à la tête de l'opposition,
Nicolas Sarkozy piaffe. Il veut en découdre. Il n'a pas
fait tout ce parcours du combattant pour se retrouver enfermé dans le piège de l'union nationale. *« Il
trouvait que ça durait un peu trop »*, commente Brice
Hortefeux. Exit donc la grande commission.

Mais partout, c'est l'ébullition et notamment au
secrétariat d'État à la réforme de l'État, où l'équipe
de Thierry Mandon, elle aussi impressionnée par la
mobilisation du 11 janvier, plaide qu'il faut entretenir
la dynamique citoyenne, faire du *« sociétal »*, travailler
sur *« le vivre-ensemble »*, définir un projet, une visée.
L'idée d'un grand débat national est avancée. *« C'est
une bonne idée »*, répond le président. Et puis rien.
François Hollande a préféré faire de l'institutionnel,
charger les présidents de l'Assemblée nationale et du
Sénat d'une *« mission de réflexion sur les formes d'engagement et sur le renforcement de l'appartenance républicaine »*.

Les deux hommes ne s'entendent pas et remettent
chacun leur copie : une de gauche, une autre de
droite, soit la fin actée de l'unité nationale. À l'Assemblée nationale où le mot « apartheid » avancé
par Manuel Valls pour définir la situation de certains
quartiers a fait polémique, le soufflé est vite retombé :
le sujet est immense et il n'y a pas un sou pour le
résoudre. Et à vrai dire, personne ne sait par quel
bout le prendre. La chape se referme. Le train des
habitudes et des conformismes reprend. L'occasion
était historique, le pays vient de passer à côté.

XIX.

Le refoulé centriste

Jean-Louis Borloo en a pris pour son grade lorsqu'il a croisé ses petits camarades de l'UMP à la manifestation du 11 janvier. « *Alors ça y est, tu es installé ! »* lui a lancé, goguenard, François Fillon. Alain Juppé aussi a bousculé le centriste mais à vrai dire, Borloo s'en fiche. Il est libre, il est revenu de l'enfer, cette pneumonie aiguë qui a failli lui coûter la vie en février 2014. Cloué au lit pendant de longues semaines, le sauveur du VAFC, le club de foot de Valenciennes, a brusquement tout envoyé promener : son mandat de député et la présidence de l'UDI, le rassemblement de centre droit qu'il avait fondé dix-huit mois plus tôt.

Depuis, l'ancien ministre de l'écologie de Nicolas Sarkozy, l'instigateur du Grenelle de l'environnement, a trouvé refuge dans une annexe de l'Élysée, le somptueux hôtel Marigny qui servait naguère de résidence aux chefs d'État étrangers de passage à Paris. Après lui avoir proposé en vain d'occuper la fonction de défenseur des droits, François Hollande a mis gracieusement des bureaux à la disposition de l'iconoclaste pour l'aider à accomplir son rêve : « *électrifier à 100 % l'Afrique* » parce qu'il faut sauver ce continent et que « *le relais de croissance pour l'Europe se trouve là-bas* ».

C'est plus fort que lui, le président a toujours besoin d'un centriste à portée de main. Quand un déclare forfait, vite il en trouve un autre. Au début du quinquennat, ce n'était pas avec l'ami Jean-Louis qu'il frayait mais avec François, le Béarnais. Quelle lune de miel et quelle rupture aussi !

Une photo, début juin 2012, les montre sur le perron de l'Élysée, côte à côte, souriants, complices. En réalité, c'est un meurtre qui se commet. Dans quelques jours, François Bayrou sera battu chez lui dans la deuxième circonscription des Pyrénées-Atlantiques par Nathalie Chabanne, une socialiste pure et dure qui ira bientôt grossir le rang des frondeurs. François Hollande n'a pas levé le petit doigt pour sauver son allié centriste, celui qui entre les deux tours de la présidentielle a pris tous les risques en appelant à voter pour lui à titre personnel. Leurs retrouvailles ce lundi 4 juin sont un leurre, un rendez-vous manqué, un de plus dans leur longue histoire.

Un ami commun, Henri de Castries, les a présentés au début des années 1990, lorsque le Tout-Paris bruissait d'une possible candidature de Jacques Delors à l'élection présidentielle. François Hollande, alors secrétaire général du club Témoin, fait feu de tout bois pour faire prospérer le réseau. Le futur patron d'Axa est un de ses camarades de l'ENA. Il a aussi travaillé au côté de François Bayrou au Centre des démocrates sociaux. Emballé, il joue les entremetteurs. L'occasion est unique de rapprocher les sociaux-démocrates qui gravitent autour de Jacques Delors et les démocrates-chrétiens qui campent sur l'autre rive. Mais voilà : Jacques Delors, pas très sûr des socialistes, veut que les centristes le rallient avant le premier tour de la présidentielle, ce qui équivaut pour eux à se faire hara-kiri. L'aventure avorte mais une amitié est née. Les deux François se sont trouvés. Ils ne se perdent plus de vue.

En 2008, on peut les voir attablés dans les bonnes brasseries du VIIe arrondissement de Paris, comme deux compères un peu désœuvrés. Leur traversée du désert les a rapprochés. François Bayrou vient de perdre la présidentielle, François Hollande le PS, ils pansent leurs plaies en disant le plus grand mal de leurs contemporains... et du monde politique. Une vraie thérapie. Pratiquement chaque semaine, ils déjeunent ou dînent ensemble, avant ou après les questions d'actualité devenues le point de ralliement des députés à l'Assemblée nationale. *« Conversations intéressantes car désintéressées »*, confie François Bayrou. C'est l'époque où le centriste écrit *Abus de pouvoir*, un brûlot contre Nicolas Sarkozy qu'il accuse de déconstruire le modèle républicain par goût immodéré de l'argent, choix assumé des inégalités et propension manifeste à l'arbitraire. L'autre François aurait pu écrire exactement le même livre tant leurs sentiments à l'égard du vainqueur de 2007 sont proches. Ils partagent en outre la même conviction : Dominique Strauss-Kahn ne pourra jamais être le candidat de la gauche en 2012, ce qui dans leurs têtes de joueurs signifie : que le meilleur gagne ! Et c'est Hollande qui gagne.

Malgré tout, Hollande est socialiste : Bayrou le croit démocrate. De là vient la méprise. Dès leur toute première conversation, le Béarnais s'est senti en sympathie avec cet homme enjoué qu'il perçoit comme « *moderne, franc, authentique* », pas tordu pour deux sous, ce qui dit-il « *est rare* » dans le monde politique. « *Lui et moi, au fond, nous ne sommes pas loin de penser la même chose* », se persuade-t-il, ce qui n'est pas complètement faux. En 1984, François Hollande en mal de rénovation avait publié dans *Le Monde* une tribune intitulée « Pour être modernes, soyons démocrates ». Cosigné par Jean-Pierre Mignard, Jean-Yves Le Drian, Jean-Pierre Jouyet et Ségolène Royal, une bande d'amis qui restera en fin de compte très soudée, le texte était un vrai manifeste politique. Il contestait la doxa marxiste qui imprégnait encore largement la gauche et appelait à construire « *au-delà du clivage gauche-droite* » un « *consensus stratégique entre nous et les courants démocratiques du pays* ». Mais en devenant premier secrétaire du PS, François Hollande s'est mitterrandisé. Son obsession : rassembler la gauche. Sa hantise : la perdre. Donc surtout pas d'alliance au centre. Lorsqu'en 2007 Ségolène Royal tente de négocier un accord de deuxième tour avec François Bayrou, il s'y oppose farouchement, et à présent que le centriste lui a apporté sa voix sur un plateau, le voilà bien embarrassé.

« *J'ai fait la proposition à François Bayrou de venir dans la majorité, il ne l'a pas voulu. Son projet n'était pas de devenir ministre mais de recomposer le paysage politique »*, précise après-coup François Hollande.

Bayrou veut effectivement recomposer et cela passe d'abord par l'affirmation de sa propre candidature aux législatives dans la deuxième circonscription des Pyrénées-Atlantiques où le PS a déjà investi sa candidate. Pour éviter une triangulaire fatale au Béarnais, il faudrait que Nathalie Chabanne se retire. La fédération locale s'y oppose vigoureusement. Henri Emmanuelli aussi. Martine Aubry vit alors ses derniers jours à la tête du Parti socialiste. Elle s'est donné pour mission de faire largement gagner la gauche aux législatives et ne voit pas pourquoi elle ferait un cadeau au centriste. François Hollande est contrarié mais refuse de se mêler de l'affaire. Quatre de ses proches, Stéphane Le Foll, François Rebsamen, Pierre Moscovici, Laurent Fabius pourtant insistent : il faut faire un geste. Sauver le centriste. Même si François Bayrou est venu seul, c'est un message d'ouverture, un signe de rassemblement alors que les difficultés déjà se bousculent, mais le chef de l'État répond : « *Ne bougez pas. Surtout ne bougez pas !* » « François » n'a qu'une obsession : ne pas indisposer « Martine », ne pas ouvrir de nouveau front avec elle qui la ferait changer d'avis et la persuaderait de rester à la tête du PS. Il préfère laisser trucider son allié et perdre un soutien de poids pour la politique de l'offre qu'il devra plus tard se résoudre à conduire. Le centre s'y reconnaissait, alors que les socialistes…

Le 17 juin, François Bayrou est battu dans la circonscription qui l'a vu naître avec à peine 30 % des suffrages. Sale campagne : le Béarnais a reçu des cen-

taines de lettres anonymes, des menaces d'électeurs
de droite qui le traitent de Judas pour avoir osé franchir le Rubicon. C'est cher payé car à vrai dire, le
patron du MoDem juge le programme du candidat
Hollande *« insoutenable »* avec ses 60 000 créations de
postes dans l'Éducation nationale et la taxe à 75 %.
Mais Bayrou a changé de rive parce qu'il déteste la
course-poursuite à l'extrême droite dans laquelle s'est
engagé Nicolas Sarkozy. Elle le hérisse. Pas plus que
son épouse « Babette », il n'a pas supporté les clips
délirants de la campagne de l'entre-deux-tours, les
panneaux rouge et blanc avec le mot « douane » écrit
en langue arabe, le retour annoncé des frontières,
l'image saturée de drapeaux bleu, blanc, rouge agités
frénétiquement par une foule hystérisée qui conspue
l'Europe. Un cauchemar.

Hollande recevra son ralliement alors qu'il est en
meeting à Toulouse, dans la ville rose. Un joli cadeau.
Devant les journalistes, le commentaire se veut sobre :
« C'est un choix d'homme libre, indépendant. » Dans le
SMS qu'il envoie à son compère, le ton est nettement plus chaleureux : *« Un geste important »* mais
sans lendemain car, pour tout dire, Bayrou l'énerve
un peu avec ses idées de révolution et son ton de
prophète de malheur.
Quelques semaines après sa défaite, François Bayrou, qui a de la suite dans les idées, est revenu voir
son ami à l'Élysée avec une offre de révolution, assortie d'un avertissement : *« Tard, ce sera trop tard ! »*
Le raisonnement qu'il tient au nouvel élu encore
un peu ébloui est assez rude : certes, le socialiste a

été élu, mais à une très courte majorité. En réalité, c'est moins lui qui a gagné que Nicolas Sarkozy qui a perdu. Or, le pays est au bord du gouffre, il faut le redresser et pour le redresser, il faut retrouver la confiance, c'est-à-dire l'estime du peuple. François Bayrou a la solution : un référendum imperdable ! Une consultation des Français à entrées multiples sur la moralisation de la vie publique : baisse du nombre de parlementaires de 577 à 400, interdiction du cumul des mandats, soumission de leur indemnité à l'impôt, création d'une haute autorité en charge de la déontologie de la vie publique et surtout réforme du mode de scrutin législatif pour y introduire une dose de proportionnelle, casser le duopole PS-UMP, ouvrir le jeu, et permettre des majorités de réformes. Un vrai chambardement, une vraie recomposition politique. Qui pourrait être contre ?

Lorsque le Béarnais a fini d'exposer son plan, François Hollande le couvre de propos bienveillants, lui promet de faire étudier minutieusement chacune de ses propositions. En réalité, il le prend pour un fou. Comme si c'était le moment de faire la révolution ! Et puis cette façon de toujours dire : « *On va dans le mur* » l'agace. « *Bayrou attend qu'on ait besoin de lui, c'est sa chimère* », lâche-t-il en petit comité.

Bayrou a compris. Il s'est vite rapproché d'Alain Juppé. En décembre 2013, il a revu François Hollande et lui a dit les yeux dans les yeux : « *Tu es mort.* » Tout ce que le Béarnais avait prédit – le discrédit, la fronde du Parlement, les réformes à demi faites – s'enchaîne, faisant de lui le procureur le plus implacable du président pour lequel il avait voté : « *Il lui a* manqué la vision, il a cru que nous étions dans des temps ordinaires, il n'a pas compris que son rôle n'était pas un rôle politique, mais un rôle historique », répète-t-il à qui veut l'entendre.

Hollande l'a laissé dire et sans se décourager le moins du monde, il est parti illico en quête de nouveaux compagnons. Marigny est devenu sa réserve à ouverture. Outre Jean-Louis Borloo, on y trouve Nicolas Hulot, l'écologiste qui aimait conseiller Jacques Chirac. Un personnage populaire, ce qui n'est pas négligeable par les temps qui courent. Le président en a fait son envoyé spécial pour la protection de la planète, il compte sur lui pour que la conférence sur le climat prévue à Paris à la fin de l'année 2015 soit un succès. Si tout se passe bien, ce sera sa rampe de lancement pour la présidentielle, une nouvelle synthèse écolo-rose. La démonstration qu'il n'est pas aussi étriqué que le dit son ancien compère. Il faut juste que d'ici là, il ne perde pas à gauche le peu de troupes qu'il lui reste. Démocrate peut-être mais socialiste d'abord !

XX.

Il n'est pas des nôtres

Jeune, riche, brillant, iconoclaste. Il n'en fallait pas plus pour qu'Emmanuel Macron devienne la tête de Turc d'une gauche en perdition. L'homme du CICE, du pacte de responsabilité, de la loi qui porte son nom reste, aux yeux des siens, un pestiféré. Ils ne sont pas sur la même planète. Et plus on s'approche de la fin du règne, plus l'écart se creuse !

Lui est dans la mondialisation. Eux non. Lui part du réel, eux biaisent. Lui prépare le monde de demain, eux restent figés dans la conservation des acquis et, lorsque la tension devient insupportable, cela donne le 49-3, cette procédure autoritaire que Dominique de Villepin avait été le dernier à utiliser pour tenter d'imposer à une société rétive et pourtant minée par le chômage la réforme du contrat de travail. Le projet de loi Macron subit le même sort. Et plutôt trois fois qu'une alors que le texte avait été retravaillé, adouci, édulcoré au point de n'être plus que la pâle copie du début mais sans avoir jamais l'heur de plaire pourtant. Macron ou l'impasse stratégique du quinquennat : il n'y a pas de majorité pour conduire le changement dont le pays a besoin.

« *Un symbole navrant* », a commenté Jérôme Guedj, l'un des représentants de l'aile gauche du Parti socialiste lorsque François Hollande s'est résolu à nommer son ancien conseiller ministre de l'économie. Le surdoué a alors 36 ans et dans son pedigree tout ce qu'il faut pour attirer la foudre : inspecteur des finances, il n'a jamais exercé de mandat électif. En revanche, il a effectué, pendant les années Sarkozy, un détour lucratif par la banque Rothschild où, gérant, il a piloté en 2012 l'une des plus grosses négociations de l'année : le rachat par Nestlé des laits de bébé Pfizer. Le « *Mozart de la finance* », comme on l'appelle, est alors devenu riche, ce qui a encore aggravé son cas.

En juin 2015, la sentence tombe : « *Il n'est pas socialiste.* » C'est le premier secrétaire du PS en personne qui le proclame dans *L'Obs*. Macron paie en bloc la politique de l'offre, sa loi et sa franchise. Il a eu l'imprudence de dire, un jour, dans *Les Échos* : « *Il faut des jeunes Français qui aient envie de devenir milliardaires.* » Cambadélis a mis la déclaration soigneusement de côté puis l'a ressortie au moment idoine pour instruire le procès en sorcellerie : « *Je m'élève contre cette phrase. L'avenir de la jeunesse, ce n'est pas l'argent. On ne fait pas tenir une société par l'argent.* » Et dans la foulée, il a excommunié publiquement l'homme auquel le président a confié la conduite de la politique économique.

C'est gros, c'est même énorme, mais à la veille du congrès de Poitiers, il fallait bien cela pour ramener la paix dans la vieille maison socialiste, secouée par des spasmes idéologiques et des doutes récurrents. « Camba » – comme l'appellent ses camarades – a discuté avec tout le monde, comme il sait le faire, et recousu comme il a pu les morceaux épars du socialisme pour tenter de rebâtir un axe majoritaire. Martine Aubry était la plus coriace. François Hollande a dû prêter main-forte : un aller-retour présidentiel à Lille, quelques engagements sur l'investissement public et la réforme fiscale. La maire de Lille a accepté de baisser la garde. Au printemps 2015, la motion Cambadélis obtient 60 % du suffrage des militants, cantonnant les frondeurs à 30 %. Dans le texte majoritaire on ne lit aucun choix audacieux susceptible de faire redémarrer la croissance et réduire le chômage mais l'incendie au sein du parti a été circonscrit. *« Un congrès de stabilisation »*, comme le disent entre eux les socialistes soulagés. Pas glorieux mais ils ont l'habitude.

Quelques jours plus tard, Julien Dray vient partager un repas avec le premier secrétaire. Son vieux complice.

« Tu sais pourquoi Macron est populaire dans les quartiers ? lui demande d'un air innocent l'élu de l'Essonne.

– Non.

– Parce qu'il leur promet d'être riches. »

Macron ou la mauvaise conscience d'une gauche qui se crispe et ne veut rien changer. Elle l'accuse de *« faire risette aux patrons »*. Lui veut la transformer pour la rendre efficace. Le téméraire ! Mais il est jeune, il a tout le temps.

Ceux qui ont travaillé à ses côtés évoquent un phénomène : « *Il est comme une profession libérale dans le hollandisme, hors du commun, réactif, séduisant, insolent, individualiste* », dit de lui Pierre Moscovici qui partage sa vision probusiness. Aquilino Morelle, sur des thèses économiques contraires, se dit bluffé aussi : « *Un garçon séduisant et surtout séducteur. Habile, très sympathique et très drôle... Il a des convictions et des idées, ce qui est rare en politique. Il les défend et s'efforce d'être cohérent ce qui est encore plus rare. Un vrai libéral avec lequel j'ai pu avoir des désaccords mais avec lequel j'ai toujours eu plaisir à travailler. Nous avons noué une relation très amicale.* » Cécile Duflot, qui a eu affaire à l'ancien banquier lorsqu'elle élaborait les mesures logement de la très contestée loi Alur et qu'il était secrétaire général adjoint de l'Élysée, ne le trouve en définitive « *pas si libéral* » que ça. Ce que confirme Marylise Lebranchu, réputée proche de Martine Aubry.

Le jeune ministre a un mentor : Jacques Attali, qui le voit « *devenir un jour président de la République* ». L'ancien sherpa de François Mitterrand et le jeune inspecteur des finances ont travaillé ensemble en 2007 dans le cadre de la Commission pour la libération de la croissance française. Attali la présidait, Macron en était rapporteur. À l'époque il avait 31 ans, était considéré comme un proche de Rocard et s'ennuyait un peu à l'Inspection des finances. Beaucoup de choses se sont jouées à ce moment-là : l'ambitieux a mis à profit les nombreuses réunions qu'il consignait pour explorer les blocages français, étoffer son carnet d'adresses, sympathiser avec des personnalités qu'il aura l'occasion de recroiser plus tard : l'Italien Mario Monti notamment, qui deviendra un allié de poids sur la scène européenne en 2012 ou encore le très delorien Pascal Lamy, à l'époque directeur général de l'OMC, qui ne tarde pas à être conquis lui aussi : « *Macron ? Un niveau intellectuel IIIe République, une culture générale qu'on ne trouve plus sur le marché, du champ, de la profondeur historique* », s'extasie-t-il.

2007 est une année importante, celle où Nicolas Sarkozy clame qu'il veut transformer la France mais comme le nouveau président n'a pas grand-chose dans sa besace, il laisse l'ancien sherpa de François Mitterrand, qui fut longtemps son voisin à Neuilly, tracer la feuille de route. Jacques Attali est un globe-trotter touche à tout, un acteur de la mondialisation qui voit que la France, repliée sur son modèle, prend du retard et doute d'elle-même… Le raisonnement qu'il tient devant Sarkozy est celui que Turgot avait servi à Louis XVI : la société d'Ancien Régime est en train de mourir de ses blocages. Pendant que le monde bouge à grande vitesse, la France se sclérose, prisonnière de ses castes et de ses privilèges. Une économie de la rente s'est installée qui tue l'innovation, freine la croissance et produit de plus en plus d'exclus. La somme des blocages est devenue telle que seule une « nuit du 4 août » pourra en venir à bout. La mise en garde est explicite : si le monarque ne conduit pas lui-même le changement, la révolution lui pend au nez.

La commission travaille avec ardeur. Lorsque Nicolas Sarkozy lit son rapport, pas moins de 316 propositions radicales sont sur la table, allant de la suppression du département à la réforme des taxis en passant par la réforme fiscale. L'homme de la rupture en picore quelques-unes mais laisse tomber l'essentiel parce que, à peine le rapport publié, tout ce que la France compte de corporations a menacé de descendre dans la rue. Le Parlement s'est mis à gronder aussi parce qu'il s'est senti dépossédé. Sarkozy a calé, exactement comme Louis XVI, trois siècles plus tôt.

Le projet de loi Macron est la suite logique du rapport Attali : les deux hommes n'ont pas baissé la garde. Ils ont convaincu Hollande qu'il fallait poursuivre dans la même direction : attaquer la rente, bousculer les monopoles, fluidifier le fonctionnement des marchés pour stimuler la croissance et réduire la fracture béante entre ceux qui sont dans le système et ceux qui vivotent dans sa périphérie.

Pour une partie de la gauche, cela reste une hérésie : ouvrir à la concurrence les lignes d'autocars, déréguler les professions du droit, privatiser les aéroports, c'est paraît-il faire progresser encore le libéralisme ! Inacceptable ! Assouplir le travail du dimanche, plafonner les indemnités de licenciement aux prud'hommes, c'est remettre en cause les avantages acquis ! Comment ose-t-il ? Seule la droite peut revendiquer cela, mais Macron est de gauche. Il veut représenter la gauche des droits réels face à la gauche des statuts. Il ne baissera pas la garde. Le cœur de la bataille est là.

Lorsque ses détracteurs l'accusent de vouloir torpiller l'État-providence, Macron rétorque que « *les droits acquis, financés à crédit, sont devenus insoutenables* ». Pour traquer « *la rente* » qui protège quelques-uns et exclut tous les autres, il dit qu'il faut partir du « *réel* » pour le « *déplier et voir où ça bloque* ». Son projet est au sens propre du terme révolutionnaire : « *déconstruire le for-*

malisme des droits acquis pour accéder aux droits réels. » Il remet en cause des pans entiers de la pratique socialiste qui consiste au contraire à consolider, par les statuts, ceux qui sont déjà protégés, au détriment des autres.

S'il avait eu les mains libres, Macron serait allé plus loin encore : il aurait assoupli les 35 heures, promu le contrat de travail unique pour tenter de créer un choc sur l'emploi : 3,5 millions de chômeurs, ce n'est quand même pas rien. Au lieu de quoi, aiguillonné par le président de la République qui clamait « *Ce n'est pas la loi du siècle* », il a écouté, amendé, édulcoré, biaisé, soucieux de convaincre la gauche, sa famille politique qu'il n'était pas un hérétique. L'énarque, le « *même pas élu* », comme disent ses détracteurs, avait une obsession : réussir son baptême du feu. Il a joué au bon élève, est devenu un pilier de l'Assemblée nationale, leur a parlé, a tenté de les séduire. Nuit et jour, il a accompagné le travail parlementaire, bu des pots à la buvette, plaidé, argumenté, battu en retraite lorsqu'il le jugeait nécessaire.

« *Il parle beaucoup, cela fait traîner les discussions* », s'impatiente à la mi-février un de ses collègues. Qu'importe ! Le ministre de l'économie est heureux. Il a l'impression que le travail avance, que les malentendus se dissipent. Une commission spéciale a été créée, des frondeurs y ont été intégrés. Il les écoute. Eux finissent par l'apprécier un peu : il bosse, il est sérieux, il n'est pas si arrogant que cela. Les articles sont votés, l'un après l'autre. Quatre-vingt-deux heures de débats en commission, qui dit mieux ? Il est fier du travail accompli, il voit le bout du tunnel. Et brusquement tout se gâte.

248

Le décor a changé. On n'est plus en commission, loin du regard des caméras, concentré sur le travail technique. On est dans l'hémicycle, le théâtre politique, l'arène des mauvais coups. Macron le bleu n'a rien vu venir. Les autres non plus d'ailleurs. Benoît Hamon a surgi sans crier gare comme un diable de sa boîte. À la dernière minute, il a exigé un gage, une compensation salariale minimale à l'extension du travail du dimanche. Macron n'a pas cédé. Pas par dogmatisme, mais parce que la CFDT préférait laisser le champ libre à la négociation et que cela avait été acté. Alors Hamon a durci le ton et prononcé le mot qui fait frémir : contre ! Il votera contre le projet de loi Macron.

Sorti du gouvernement six mois plus tôt, le député des Yvelines avait besoin de reprendre l'ascendant sur son courant. Le congrès approchait. Il fallait qu'il donne des gages. À partir de là, c'est devenu une belle panique : il a fallu recenser les votes pour, les votes contre, les abstentions. Mission impossible car nombre de rebelles refusaient de dévoiler leurs intentions. Les vieux de la vieille n'avaient jamais vu ça. Le mercredi 17 février, une heure avant le vote, le comptage donnait 5 à 6 voix d'avance. Trop juste, François Hollande ne voulait pas prendre le risque de voir le texte rejeté. Manuel Valls n'était pas mécontent de montrer sa force face aux rebelles. Macron, lui, plaidait que c'était peut-être encore jouable. Le 49-3 lui est tombé dessus comme la guillotine. Il aurait tant voulu être des leurs. Mais non.

Le stage s'achève sur une nouvelle occasion manquée !

Conclusion

Trois années ont passé. Plus personne ne se demande si François Hollande incarne la fonction. Il est président mais quel combat ! Il a fallu pour cela qu'il se débarrasse de ses oripeaux, qu'il règle ses comptes avec lui-même, qu'il renonce à ses habiletés d'ancien premier secrétaire, tout et son contraire regroupés autour de lui et ménagés de la même façon, amis et ennemis, l'ambiguïté comme feuille de route et, au bout du chemin, le désastre.

La présidentielle est un révélateur : passé les astuces de la campagne, elle renvoie l'homme que les Français ont porté au sommet de l'État à ce qu'il est. En l'occurrence, la mystification était totale : le candidat le plus rassurant de la campagne de 2012 a bien failli devenir le président le plus inquiétant de la Ve République parce que son psychisme était totalement inadapté à la situation de crise que connaissait le pays. Au lieu de l'autorité et de la décision requises dès la toute première heure, l'amateurisme et le louvoiement. Le stage était indispensable.

Il a été délivré sous très haute protection : celle des institutions qui sont à toute épreuve. Sans leur solidité, François Hollande aurait été en grand danger, mais d'essence monarchique, elles sont tournées vers la préservation de la fonction suprême considérée par de Gaulle comme le dernier rempart avant le chaos. On ne déboulonne pas comme ça le roi de France, dût-il y mettre du sien, pourvu que ce dernier ait suffisamment l'instinct de survie et le sens des situations !

François Hollande possède ces deux qualités qui vont de pair avec une troisième : la lucidité, et ce fut comme une renaissance de le voir puiser, à partir de mars 2014, chez Manuel Valls, le dauphin, les attributs qui manquaient à sa propre royauté : la verticalité, l'autorité, un début de clarté. Là encore une première : jamais sous la Ve République le couple exécutif n'avait fonctionné à front à ce point renversé au prix d'une tension palpable et pourtant maîtrisée car l'un avait été adoubé par le suffrage universel et l'autre non, et cela suffisait à maintenir la hiérarchie.

Le stage présidentiel, puisque c'est de cela qu'il s'agit, a été laborieux et pourtant formateur : un accouchement aux forceps pour tenter de régler tout ce qui ne l'avait pas été pendant les longues années d'opposition. S'ils ont transformé le roi, ces trente-six mois ont aussi changé la gauche qui y a perdu en adolescence et en illusions. La formation a été sans quartier, laissant sur le carreau un fidèle trop docile, Jean-Marc Ayrault, et quelques fortes têtes comme Arnaud Montebourg plus attachées à leur pouvoir tribunicien qu'à l'art du compromis. La gauche a toujours été faite de ces deux courants. Mais lorsque l'un entre ouvertement en guerre contre l'autre, on peut estimer que le camp, dans son ensemble, entre dans une zone de grand danger.

De ces pertes en ligne, l'attelage gouvernemental a cependant gagné en cohérence et c'est le pari réussi de Manuel Valls, le droitier du PS, d'avoir misé sur les années de pouvoir, l'épreuve du « réel », pour forcer la mue d'une gauche intellectuellement paresseuse qui n'avait pas su se mettre au diapason des évolutions de la société, ni au clair avec la mondialisation, ni résoudre la question lancinante de l'appartenance à l'Europe, devenue le bouc émissaire facile des impasses nationales.

Tout le début du quinquennat a été parasité par le rapport difficile à l'Allemagne, la tentation d'une partie de la gauche de rompre avec Angela Merkel, ce qui était une façon de remettre en cause radicalement l'héritage mitterrandien, mais au pire moment et sans solution de rechange.

Sur cet aspect, François Hollande a tenu bon. À aucun moment, le président de la République n'a envisagé la rupture avec l'Allemagne. Il le revendique pleinement et en assume le coût en terme de majorité politique : « *Le choix le plus lourd c'est l'acceptation du traité,* analyse-t-il en juillet 2015. *La rupture avec la majorité intervient là, pas plus tard.* »

Le pacte de compétitivité découle en grande partie de ce choix qu'il a assumé personnellement le 31 décembre 2013, avant même de nommer Manuel Valls à Matignon, dans un parallèle assez frappant avec le virage qu'avait pris François Mitterrand en 1983, une fois opéré l'ancrage européen : dans les deux cas, fin proclamée des hausses d'impôt et tentative de réhabilitation de l'appareil productif, désormais considéré comme vital pour retrouver la croissance.

Le tournant du quinquennat n'a donc pas été initié par le premier ministre qui se rêve en rénovateur de la gauche. Il a été voulu par le président qui, après de multiples circonlocutions, a fini par renouer avec ce qu'il était au tout début de sa vie politique, un transcourant, un démocrate qui croit en l'Europe comme Jacques Delors mais peine en revanche à la défendre publiquement et ne consent aux réformes que si elles sont minimales. Un pâle disciple en quelque sorte avec toujours l'obsession de *« ne pas faire subir une politique d'austérité au plus grand nombre »* et l'idée qu'il est toujours possible d'obtenir des accomodements. *« Pourquoi Mme Merkel pardonne-t-elle à la France ce qu'elle ne pardonne pas à la Grèce, à l'Espagne, au Portugal ? Parce que c'est la France ! »* s'exclame-t-il sans complexe.

Il n'y a pas de conservatisme à proprement parler chez François Hollande qui, en homme de gauche, croit aux vertus du mouvement. En ce sens, il est très différent de Jacques Chirac, l'autre Corrézien, son complice des vieux jours qui *« à force de faire de la politique était devenu d'un cynisme absolu »*, dixit un de ses vieux compagnons.

Il y a en revanche chez l'actuel président une bonne dose d'anachronisme : *« Sa culture économique date. Elle remonte aux années 1980, elle n'est pas suffisamment en prise avec la mondialisation, ni avec l'entreprise »*, juge Pascal Lamy, son complice des années 1980, devenu président d'honneur du think tank européen – Notre Europe-institut Jacques Delors. Manque de voyages formateurs et excès de sédentarisme : lorsqu'il était premier secrétaire du Parti socialiste, François Hollande détestait s'éloigner de la mère patrie. Il le paie chèrement à son arrivée à l'Élysée en se définissant comme l'homme qui attend le retour de la croissance au lieu de se mettre en position de la susciter. Funeste méprise !

Le paradoxe est qu'il était pourtant à gauche le candidat le plus sérieux parce qu'il assumait ouvertement de rompre avec la culture française de la dépense publique et du déficit. *« Il a été le premier à dire : la dette c'est l'ennemi. Il faut le créditer d'avoir posé le sujet »*, poursuit Pascal Lamy. Seulement, le pays rencontrait en mai 2012 d'autres problèmes tout aussi importants : *« 0, 10, 90, 65, ces quatre mensurations résument le début du quinquennat »*, souligne le député européen Henri Weber, un proche de Laurent Fabius, en détaillant l'implacable constat *: « 0 % de croissance, 10 % de chômage, 90 % de dette publique, détenue aux deux tiers par des capitaux étrangers, 65 milliards d'euros de déficit de la balance commerciale. »* Merci la crise ! Merci Nicolas Sarkozy !

Hollande choisit de traiter en priorité la question des déficits et s'embourbe rapidement dans les hausses d'impôts. Pascal Lamy estime, lui, que *« la priorité était de s'attaquer au chômage de masse »*.

L'enkystement du pays dans le chômage de masse, la courbe des demandeurs d'emploi qui, mois après mois, pendant trois ans, progresse inexorablement, est le boulet du quinquennat. En technocrate accompli,

François Hollande en a fait une affaire de courbe, jouant sa réélection sur sa probable inversion d'ici 2017 sans voir que quelque chose de bien plus profond se jouait sur l'impasse du début : « *Aucun discours fédérateur alors que les Français sont le peuple le plus individualiste qui soit et que les solidarités se délitent* », se désole Jean-Louis Beffa, le président d'honneur de Saint-Gobain. « *Un effet effroyable en termes de cohésion sociale* », renchérit Pascal Lamy.

Le refus de la dramatisation est bien le péché originel du quinquennat. Sans exposer la gravité de l'héritage aux Français, comment mobiliser ? Mais lorsque, un an et demi plus tard, cerné par les difficultés, François Hollande a de nouveau l'occasion de tenter une union nationale autour du pacte de responsabilité, il refuse le rendez-vous symbolique à l'Élysée du patronat, de l'État et des syndicats de peur de trop en faire, si bien qu'aux yeux des Français le pacte n'en sera jamais vraiment un, porté uniquement par quelques acteurs de bonne volonté comme la CFDT, qui ont parfois l'impression de se retrouver très seuls. « *Le pari de François Hollande, c'était : "Je vais changer les choses sans que les Français s'en rendent compte"* », décrypte un de ses intimes. Ni vu ni connu en quelque sorte.

Raté. Le pays souffre sans franchement se redresser : « *Avec le pacte de responsabilité, on a un peu ralenti la détérioration, c'est tout* », soupirent en chœur Lamy et Beffa. Les dépenses publiques, elles, résistent à tous les discours au point d'inquiéter la Cour des comptes qui, dans son dernier rapport publié en juin 2015, souligne que depuis 2010 la progression a été « *simplement infléchie* » en France alors que les dépenses publiques « *ont baissé* » chez nos principaux partenaires. Traduction : la France aggrave son cas ou confirme sa spécificité, c'est selon. « *Depuis les années 86-88, nous n'avons fait aucune réforme* », soupire un peu sévèrement Jacques Attali en fustigeant les présidents, de droite ou de gauche, qui « *arrivent au pouvoir sans projet et s'enlisent dès le début de leur mandat* ».

Longtemps, la peur de déclencher la révolution a servi d'excuse. Nicolas Sarkozy, le pourfendeur de l'immobilisme chiraquien, avait pourtant eu des mots très durs pour secouer le joug : « *À force d'user de la langue de bois, à force d'éluder la réalité des faits, à force d'esquiver les défis, eh bien, on l'a vu, la France gronde* », avait lancé le frondeur à la face de celui qu'il défiait au lendemain du référendum européen de 2005. Mais une fois élu, quel revirement ! Lorsque son premier ministre François Fillon, croyant avoir été nommé pour cela, le presse de réformer, il invoque Louis XVI et rétorque : « *Les Français sont un peuple régicide qui ont coupé la tête du roi et de la reine alors qu'ils n'en avaient pas besoin.* » À croire que le trône transmet de curieuses ondes.

Avant même d'y monter, le roi décapité décrivait les Français comme des « *murmurateurs* » qui « *crient, se plaignent, murmurent éternellement* », au point « *qu'on dirait que la plainte et le murmure entrent dans l'essence de leur caractère* ».

François Hollande a lui aussi une intense perception du danger. Avant de concourir à la primaire socialiste, il a étudié de près le sort de tous les présidents de la Ve République et a été particulièrement frappé pas les déboires de Jacques Chirac qui, élu en 1995 pour réduire la fracture sociale, impose trois mois plus tard à un pays non préparé l'amère potion du plan Juppé et perd en très peu de temps sa majorité. De ce funeste épisode, il a tiré une leçon : *« Le président élu n'est pas là pour engager le conflit avec le pays qui vient de le porter là où il est »*, ce qui ne l'empêche pas de se revendiquer, malgré tout, comme le plus réformateur de tous et somme toute le plus habile : « *Malgré les mesures prises, je n'ai pas eu de mouvement social, je le mets à mon crédit. Le mécontentement est passé par les urnes.* »

Le mécontentement ! Le mot est lâché. Il est intervenu immédiatement et a miné les trois premières années du quinquennat, laissant fort peu de chances de rebond au président élu en 2012. Reste à en comprendre la nature. Que la gauche soit déçue, c'est une évidence, une partie avait sincèrement cru aux tirades contre *« la finance folle »* et aux attaques contre les riches que François Hollande s'était promis de taxer jusqu'à la garde. L'imprudent ! Mais il existe une autre forme de mécontentement qui se nourrit du sentiment que le pays se contente de réformettes, prend du retard, aggrave son cas en quelque sorte, alors que l'opinion serait prête à aller plus loin…

« Une sorte de résignation à la réforme s'est installée », souligne Jérôme Fourquet, directeur à l'Ifop, après avoir analysé les études d'opinion sur la réforme des retraites, celle des territoires ou encore la loi Macron. *« C'est nouveau*, assure-t-il, *et cela va de pair avec la prise de conscience que la France, insérée dans*

la mondialisation, est en train de décliner et n'a plus vraiment le choix. » Cette évolution significative de l'opinion n'est pas le fait de la droite, déjà largement acquise. Elle résulte du changement intervenu dans une partie de la gauche. Mais une partie seulement, les sympathisants socialistes pour l'essentiel. François Hollande reste indéfectible- ment leur chef avant d'être celui du pays tout entier. Il joue le rôle de passeur, accompagne prudemment l'évolution de la vieille maison désormais réduite à peau de chagrin mais sans oser forcer le trait de peur de perdre le peu qu'il lui reste à gauche.

L'appréciation de fin de stage en découle : bonnes intentions mais toujours un train de retard. À l'an III de son règne, François Hollande a pris le risque de bouger moins vite que son pays.

Remerciements

Merci à François Hollande d'avoir accepté de répondre à mes questions. Les propos cités résultent d'entretiens qui ont eu lieu d'octobre 2012 à juillet 2015.

Merci à Manuel Valls d'avoir apporté son éclairage sur ce qu'il a vécu lors de nos rencontres (de mai 2014 à juillet 2015).

Je veux aussi dire ma gratitude aux très nombreux acteurs du quinquennat d'avoir livré leur témoignage et notamment à Jean-Marc Ayrault, à Pierre Moscovici, à Arnaud Montebourg et à Emmanuel Macron. Sans eux, ce livre n'aurait pas été possible.

Merci aussi à Alexandre Wickham qui a été l'inspirateur et le guide attentionné de cette enquête.

Merci à Thomas Wieder de m'avoir autorisé l'aventure.

Merci enfin à Éric et aux enfants. Ils savent, les chers, combien leur présence est précieuse.

Table

Introduction 9

   I. Des amateurs 17
  II. Si peu roi 28
 III. Le tweet de Marie-Antoinette 39
 IV. La vie en rose 48
  V. La folie fiscale 54
 VI. Sur le sentier de la guerre 63
VII. Mutter Merkel reste la plus forte 79
VIIII. La fronde 93
 IX. L'argent qui corrompt...
     même la gauche 105
  X. Leonarda vice-présidente 118
 XI. La rupture 129
XII. Complots à tous les étages 140
XIII. Le tournant 151
XIV. Bonaparte entravé 163
XV. Une réforme bâclée 181
XVI. « Flanby » les a tous tués 197

263

XVII. Nicolas va nous sauver !............................ 212
XVIII. L'occasion manquée............................ 222
XIX. Le refoulé centriste.............................. 234
XX. Il n'est pas des nôtres.......................... 242

Conclusion 251

Composition Nord Compo
Impression CPI Bussière en août 2015
Éditions Albin Michel
22, rue Huyghens 75014 Paris
ISBN : 978-2-226-31898-5
N° d'édition : 21506/01. N° d'impression : 2015918
Dépôt légal : septembre 2015
Imprimé en France.